MELINA

GERAINT V. JONES

GOMER

Argraffiad Cyntaf—Awst 1987

ISBN 0 86383 368 3

Dymuna'r cyhoeddwyr gydnabod cymorth a chyfarwyddyd Adrannau'r Cyngor Llyfrau Cymraeg a noddir gan Gyngor Celfyddydau Cymru.

Argraffwyd gan:

J. D. Lewis a'i Feibion Cyf., Gwasg Gomer, Llandysul

I FFION MAI AC OWAIN TUDUR

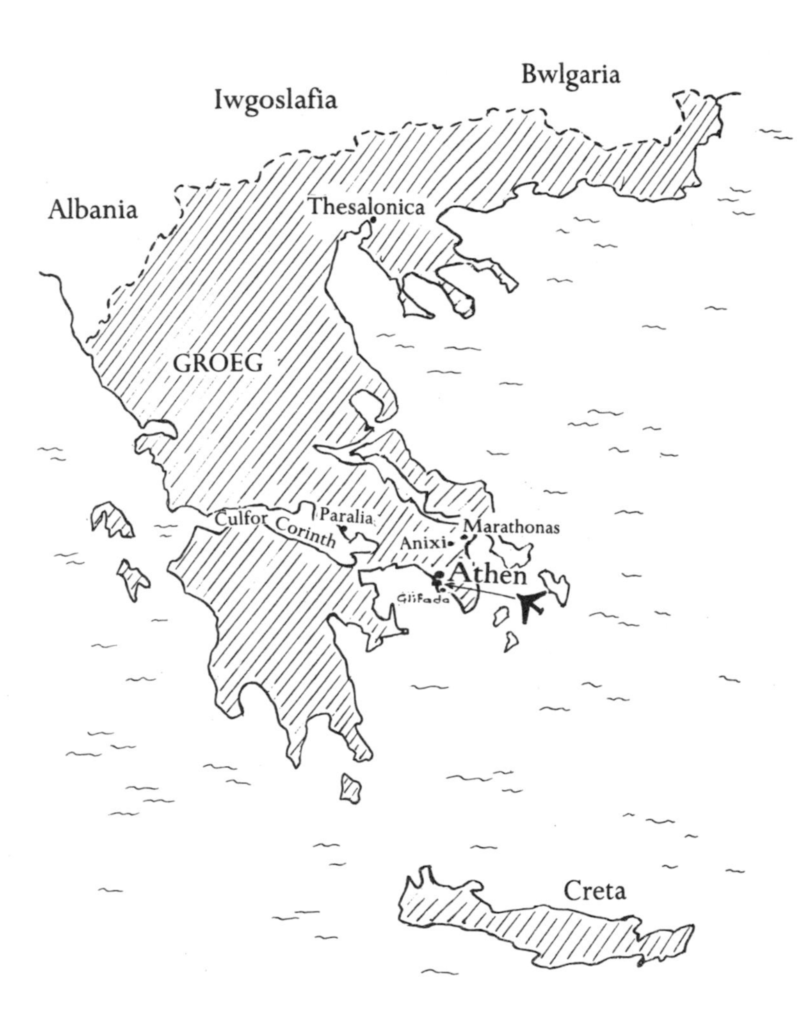

Bwlgaria
Iwgoslafia
Albania
Thesalonica
GROEG
Culfor Corinth
Paralia
Marathonas
Anixi
Athen
Glifada
Creta

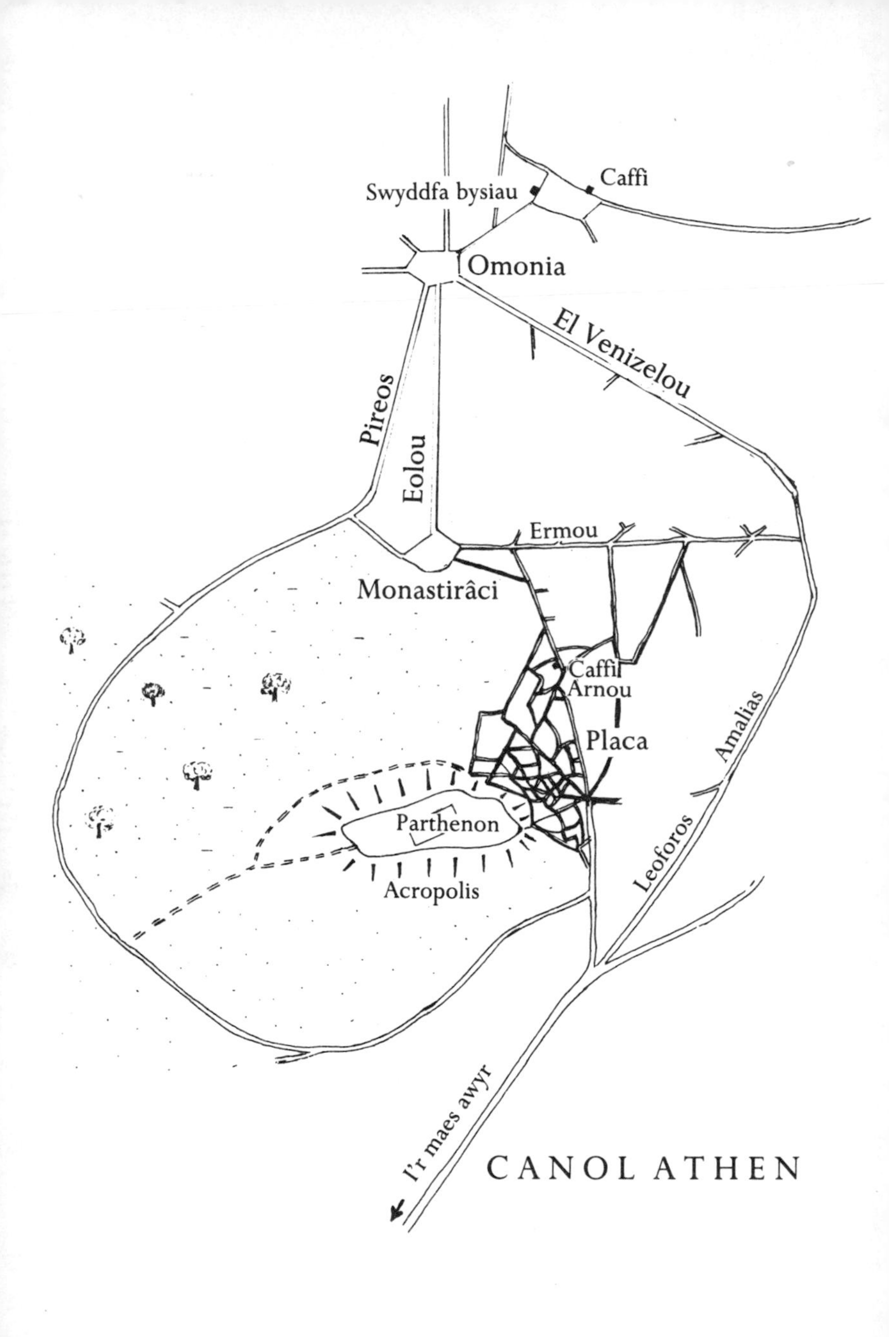
Caffi
Swyddfa bysiau
Omonia
El Venizelou
Pireos
Eolou
Ermou
Monastirâci
Caffi
Arnou
Placa
Amalias
Leoforos
Parthenon
Acropolis
I'r maes awyr
CANOL ATHEN

Pennod 1

Roedd yn dri o'r gloch y pnawn a dinas Athen yn crasu mwy nag arfer yn y gwres. Yn llygad haul Awst—ac anodd oedd osgoi hwnnw, gan mor brin y cysgod—roedd gwynder strydoedd culion y Placa yn boen i edrych arno. Rhedai'r strydoedd hynny groes ymgroes, rhai'n anelu'n bell am sgwâr Monastirâci, eraill yn dringo'n swrth, ris ar ôl gris, tua'r Acropolis a'r Parthenon urddasol.

Tra cysgai gweddill y ddinas hen yn ei siesta arferol, roedd siopwyr bychain y Placa yn dal i wthio'u bargeinion, er yn ddigon llesg a diobaith, o dan drwynau'r twristiaid blin gan neidio'n glapiog o Saesneg i Almaeneg ac o Ffrangeg i Eidaleg yn ôl y galw. Roedd y rhain wedi hen ddysgu na ddylai iaith fod yn rhwystr mewn busnes. Safent yn nrysau eu siopau bach, eu nwyddau yn gawod liwgar ddeniadol o'u cwmpas a'r stryd yn boddi yn arogl lledr ffres y bagiau a'r esgidiau di-rif. 'Bargen i chi, madam! 500 drachma oddi ar y pris!' Ac er yr holl wrthod, parhâi'r wên.

Uwchben y cyfan ac allan o'i sŵn codai'r llethr sych yn serth at fur gwarchodol yr Acropolis. Er gwaethaf y gwres ymlwybrai ymwelwyr mwy ffôl na'i gilydd ar eu pererindod araf tua theml Apolo, duw'r haul ei hun, a chlician parhaus eu camerâu yn cael ei foddi gan drydar gwyllt y cricedau swnllyd ym mhob coeden ar y ffordd.

Eisteddai Aled Goodman wrth fwrdd cysgodol yn sipian ei gwrw oer. Golwg ddiraen oedd ar Gaffi Arnou, y paent gwyrdd tywyll yn plisgio'n rhwydd oddi ar y byrddau a'r cadeiriau metel gan ddangos iddynt fod unwaith yn felyn a chyn hynny'n frown. Lle i dri bwrdd yn unig oedd ar y palmant cul a'r Cymro ifanc blêr-yr-olwg oedd unig gwsmer y pnawn. Lled-orweddai yn ei gadair, ei wallt llaes golau wedi ei ddal am y talcen gan fandyn gwyrdd llydan. Gwisgai fest goch oedd yn amlygu ysgwyddau a breichiau cryfion brown a phâr o jîns a fu unwaith yn las ond a oedd erbyn hyn yn gwynnu o'i hir wisgo a'i aml olchi. Am ei draed llychlyd, disanau roedd sandalau rhad. Nid oedd wedi eillio ers dyddiau ac edrychai'n union fel un o'r criw hipïaidd a ddeuai i Athen bob haf.

Er bod ei lygaid ynghau nid oedd yn cysgu. Roedd ei wyliau yn prysur ddirwyn i ben a gwibiai digwyddiadau'r mis diwethaf trwy ei feddwl yn awr. Er pan gychwynnodd o Fangor bron dair wythnos yn ôl, prin bod Aled wedi meddwl am ei gartref na'r garej lle gweithiai. Mae'n wir iddo ofidio droeon bod Chris ei ffrind wedi gorfod tynnu'n ôl ar y funud olaf oherwydd marwolaeth sydyn ei dad, ond erbyn hyn teimlai Aled yn falch o'r profiad o grwydro gwlad Groeg ar ei ben ei hun. Roedd wedi cael gweld llawer, a hynny'n rhad. Brynhawn fory byddai'n rhaid bod ar yr awyren i Lundain.

Drachtiodd eto o'r ddiod oer. Biti hefyd nad oedd Chris yma. Roedd y ddau ohonynt wedi cael amser mor dda y llynedd yn ffawdheglu trwy Lydaw. Ond waeth heb â gofidio am bethau felly rŵan; fel yna'r oedd pethau wedi digwydd. Gallasai'r un peth fod wedi digwydd iddo yntau. Wedi'r cyfan, roedd ei fam ef ei hun yn wael yn ysbyty'r meddwl yn Ninbych ers tair blynedd, yn adnabod neb o'i theulu, dim hyd yn oed ei mab ei hun. Pe bai hi gartref ac o gylch ei phethau, meddyliodd Aled, go brin y byddai hi wedi bod yn fodlon iddo dreulio gwyliau fel hyn ar ei ben ei hun. Ond un hollol wahanol oedd ei dad wedyn. Sais di-lol o swydd Efrog. 'Ia, dos,' meddai, ar ôl clywed bod Chris yn tynnu'n ôl. 'Rwyt ti'n ugain oed, ac mi fydd yn brofiad da iti drafaelio tipyn dy hun.' Ac felly y bu.

Eisteddodd Aled i fyny yn ei gadair a gwagio'r gwydryn. Syllai ei lygaid glas yn ddiog i lawr y stryd gul. Rhyw ganllath i ffwrdd, lle'r oedd y siopau, gallai weld y twristiaid yn gwau ac yn gwthio'n ddifywyd drwy'i gilydd. 'Dydd Sadwrn fory,' meddyliodd a chrychodd ei wyneb lluniaidd brown. 'Dydd Llun mi fydda i'n ôl wrth fy ngwaith yn y garej fudr 'na, yn trin blydi falfia a charboretors . . . Ac mae'n siŵr y bydd hi'n hen smwcan glaw ym Mangor . . .'

Doedd arno ddim eisiau meddwl am y peth. 'Mi fydda i'n gofyn am godiad cyflog i Jac Teiars,' meddai wrtho'i hun, 'neu mi geith o gadw'i blwmin job.' Ac fe gytunai Jac i hynny yn hytrach na cholli cystal mecanig ag Aled.

Daeth Arnou, perchennog y caffi, allan ac eistedd wrth yr un bwrdd ag ef. Er na ddywedai air fe wyddai Aled mai disgwyl cael ei dalu yr oedd—70 drachma am y cwrw a 100 drachma arall am gael cysgu'r noson honno ar do fflat y caffi. Syllodd ar wyneb di-wên y Groegwr tywyll. Sylwodd ar y mwstás trwchus a daflai gysgod dros wefusau main ac ar y gwallt du oedd yn graddol gilio o'r talcen a'r corun.

Aeth i'w boced, tynnodd ddau bapur 100 drachma o'i waled fechan a'u taflu ar y bwrdd. Clywodd ei newid yn clindarddach ar y metel ond ddaeth dim gair o ddiolch o enau Arnou. Agorodd ei waled eilwaith—tri phapur 1000 drachma ar ôl. 'Prin ugain punt,' meddai wrtho'i hun. Cododd Arnou a diflannu unwaith eto i wyll y caffi. Safodd Aled yntau gan fwriadu mynd â'i sach gysgu a'i becyn bychan o ddillad i fyny i do'r adeilad i'w gadael yno at y nos ond parodd sŵn sodlau brysiog ar balmant iddo aros a throi mewn chwilfrydedd.

Yr eiliad nesaf rhuthrodd gwraig ifanc allan o stryd fach gul bron gyferbyn. Roedd ei gwallt muchudd yn flerwch gwyllt o gwmpas ei hwyneb a fflachiai ei llygaid tywyll i bob cyfeiriad. Hawdd oedd adnabod yr ofn a'r panig ynddynt. Oedodd am amrantiad yn unig, yna anelodd am ddrws y caffi. Wrth wibio heibio i Aled taflodd olwg ymbilgar arno cyn brysio i'r gwyll y tu mewn. Yno gwyliodd y Cymro hi'n cyrcydu'n ofnus y tu ôl i res o blanhigion a chawod o ddail gwinwydden oedd fel mur deiliog i'r rhan honno o'r caffi. Nid oedd sôn am Arnou yn unman.

Pennod 2

Fel y safai Aled yno wrth ddrws y caffi, yn ansicr beth i'w wneud nesaf, daeth sŵn traed eraill i'w glustiau—traed trymach y tro hwn, a mwy ohonynt, ond y rhain eto ar frys gwyllt. Ymddangosodd dau ddyn tal a chydnerth yng ngheg y ffordd gul gan daflu cip cyflym i bob cyfeiriad. Roedd y ddau'n anadlu'n drwm.

Astudiodd y Cymro hwy'n fanwl. Nid oedd yr un ohonynt o dan ddwylath . . . gwallt brown gan y ddau a hwnnw wedi ei dorri'n gymharol fyr . . . crys glas gan un, gwyn gan y llall, ond y ddau mewn trowsusau duon . . . esgidiau duon hefyd . . . y ddau yn gwisgo tei ond hwnnw'n llac am y gwddf a botwm uchaf y crys wedi ei agor . . . Plismyn efallai . . .? Milwyr hwyrach, mewn dillad hamdden . . .? Ond nid Groegwyr mohonynt, roedd hynny'n amlwg.

Cododd yr un crys gwyn ei fraich a gwelodd Aled fod trydydd gŵr, ychydig byrrach a thywyllach, wedi ymddangos o stryd gul arall ychydig yn is i lawr. Camodd siopwr o flaen hwnnw i geisio gwerthu rhywbeth iddo ond gwthiodd yntau y creadur yn ddiamynedd oddi wrtho a brysio i ymuno â'i ddau gyfaill. Wedi sgwrs frysiog mewn islais trodd y tri i edrych ar Aled gan dybio, mae'n siŵr, mai ef yn unig fyddai wedi sylwi ar yr hyn oedd wedi digwydd yn ystod yr ychydig eiliadau hynny. Gwyddai Aled wrth reddf fod y ferch yn dal ei hanadl yn y caffi y tu ôl iddo.

Ni phetrusodd y Cymro. Nodiodd i gyfeiriad y stryd oedd yn mynd i fyny gyda thalcen Caffi Arnou. Ni phetrusodd y tri gŵr chwaith. Cododd un ei law yn fyr a nodiodd un arall ei ben mewn diolch mud a brysiodd y tri o olwg Aled i fyny'r Odos Criti. Dyna oedd enw'r stryd yn ôl yr arwydd ar y wal.

Aeth Aled i sefyll ar y gornel i'w gwylio'n mynd. Gwelodd hwy yn stryffaglio i fyny rhes o risiau serth, yna rhes arall. Ar ben yr ail res safodd y tri. Roeddynt wedi cyrraedd croesffordd arall yn y ddrysfa hon o hen strydoedd, ac mewn cyfyng-gyngor pa ffordd i fynd. Trodd un ohonynt i edrych yn ôl a chiliodd Aled o'i olwg. Pan edrychodd y Cymro eilwaith roeddynt wedi diflannu.

Doedd dim sôn am Arnou yn unman pan aeth Aled i mewn i'r caffi. Roedd y ferch yn dal i lechu'n ofnus y tu ôl i'r planhigion. Rhoddodd ei fys ar ei wefusau fel arwydd iddi fod yn dawel ac yna amneidiodd arni i'w ddilyn i fyny'r grisiau. Gwnaeth hithau hynny'n ufudd.

Roedd hi'n annioddefol ar do'r adeilad, yr haul yn ddidostur hollol a'r lle fel ffwrnais. Rhedai wal rhyw ddwy droedfedd o uchder o gwmpas y to gwastad. Anelodd Aled am un gornel a gollwng ei baciau ynddi, yna trodd i syllu ar y ferch a safai'n fud yn ei wylio.

'Tua dwy ar hugain faswn i'n tybio,' meddai wrtho'i hun wrth geisio dyfalu ei hoed. 'Hogan dlws hefyd. Be mae hi wedi'i neud tybed?'

Roedd hi wedi ei gwisgo mewn ffrog ysgafn felen . . . sandalau am ei thraed. Ceisiai dacluso'i gwallt gloywddu yn awr trwy wthio'i bysedd fel crib drwyddo. Roedd ei dwylo'n dal i grynu ac nid oedd yr ofn wedi cilio o'i llygaid.

'Pwy ydach chi?'

Nid oedd yn ymddangos ei bod yn deall Saesneg. Ceisiodd Aled eto, yn arafach y tro hwn.

'Ydach chi mewn trwbwl?'

Dim arwydd o ddealltwriaeth am ychydig eiliadau ac yna dechreuodd y ferch nodio'n araf. 'Trwbwl!' meddai hi'n glapiog. 'Trwbwl mawr!'

Yna, yn hytrach na holi rhagor arni fe aeth Aled i edrych dros ymyl y to i lawr i'r stryd o flaen Caffi Arnou. Greddf a barodd iddo wneud hynny, mae'n debyg. Yno ar y palmant safai'r tri dieithryn chwyslyd mewn sgwrs daer gydag Arnou ei hun. Roedd un ohonynt yn defnyddio'i ddwylo i ddisgrifio gwallt llaes gyda rhywbeth am y talcen i'w ddal.

'Chwilio amdana i maen nhw!' meddai'r Cymro wrtho'i hun ac yn sydyn, er na wyddai'n iawn pam, llifodd ton oer o ofn drosto. Gallai synhwyro'r perygl; roedd mor real â phob dim arall oedd o'i gwmpas. Sylweddololodd fod ei galon yn gyrru'n wyllt.

Deallodd Arnou ystumiau y dyn crys glas. Pwyntiodd y Groegwr yn gyntaf at y bwrdd y bu ef, Aled, yn eistedd wrtho ychydig funudau ynghynt, ac yna ar ôl rhagor o barablu cododd ei fraich i bwyntio tua'r to. Yn reddfol ciliodd Aled o'u golwg cyn i'r un ohonynt ei weld. Am eiliad safodd fel pe bai wedi ei wreiddio i'r fan; ni allai resymu o gwbl. Un peth yn unig a wyddai i sicrwydd ac roedd y wybodaeth honno'n ailadrodd ei hun yn undonog yng ngwacter ei ben—'Maen nhw'n dod i fyny i chwilio . . . Maen nhw'n dod i fyny i chwilio . . .'

Roedd pob cyhyr yn ei gorff wedi mynd yn glap. Gwelai ei hun fel cwningen wedi ei dal ym mhelydryn cryf golau car. Aeth popeth arall o'i gwmpas yn dywyllwch du ac yntau'n unig yno yn aros i gael ei daro gan . . . Doedd ganddo mo'r syniad lleiaf gan beth.

Pennod 3

Doedd dim amser i feddwl. Trodd yn gyflym at y ferch a safai yno'n aros am ei arweiniad, rhoddodd ei fys ar ei wefus i arwyddo iddi fod yn dawel ac yna amneidiodd arni i'w ddilyn. Rhaid bod y perygl yn gwbl amlwg yn ei lygaid oherwydd fe ufuddhaodd hithau'n ddigwestiwn.

Llamodd Aled dros y pwt wal a glanio ar do'r adeilad drws nesaf. Oedodd i helpu'r ferch ond doedd dim angen. Roedd hi mor ystwyth ac mor gyflym ag yntau. O'r naill do i'r llall yr aethant nes cyrraedd pen y rhes. Clywsant waedd o'u hôl ond ni throesant i edrych ar y rhai oedd yn eu hymlid. Neidio wedyn i do rhyw ddwylath yn is, rhuthro i lawr grisiau'r tŷ hwnnw, heibio i ŵr a gwraig oedrannus a orweddai ar fatresi ar lawr yn drwm yn eu siesta prynhawnol, ac allan i'r stryd.

Doedd dim llawer o dwristiaid yn y gornel dlodaidd hon o'r Placa. Lle digyffro, difywyd hollol yr adeg honno o'r dydd. Cydiodd Aled yn wyllt yn llaw ei gydymaith a'i thynnu'n ddiseremoni ar ei ôl, heibio i dalcen adeilad, yna i'r dde, wedyn i'r chwith, i'r dde ac i'r chwith eto ar hyd strydoedd bach cefn nad oeddynt ond yn ddigon llydan i ddau gerdded ochr yn ochr hyd-ddynt, ffyrdd culion wedi'u palmantu â cherrig llyfn glan-y-môr. Roedd clecian sodlau eu sandalau llac i'w glywed yn diasbedain o'u blaen ac o'u hôl a'u hanadl yn fyr a swnllyd. Ni welsant neb a doedd neb i'w gweld hwythau, ac eithrio ambell i gath hyll o denau a'i llygaid newynog fel marblis yn ei phen.

Pan arhosodd o'r diwedd doedd gan Aled mo'r syniad lleiaf pa mor hir na pha mor bell y buont yn rhedeg. Nid dyna oedd yn bwysig. Y rhyddhad oedd sylweddoli nad oedd neb yn eu dilyn, am ryw hyd beth bynnag. Gollyngodd ei afael dynn yn llaw y ferch ac am y tro cyntaf trodd i edrych yn iawn arni. Syllodd yn hir i'w llygaid tywyll deniadol tra edrychai hithau yn betrus arno yntau. Yna, sylwodd ar ei dannedd gwastad gwynion yn ymddangos mewn gwên ansicr, gwên i geisio ymlid ei hofn, gwên o ddiolch, gwên o ryddhad. Yn raddol, torrodd gwên dros ei wyneb yntau ac yn ddirybudd ymestynnodd y ferch ar flaenau'i thraed i roi cusan cyflym ar ei foch. Cusan o ddiolch.

'Rydan ni'n sâff, am ryw hyd beth bynnag.' Swniai ei eiriau yn ddieithr a phell iddo ac ni allai egluro iddo'i hun pam y dylai deimlo'i fod yntau hefyd mewn perygl. 'Ond fedrwn ni ddim aros yn fan'ma, maen nhw'n dal i chwilio'r strydoedd mae'n siŵr.'

Nodiodd y ferch ei dealltwriaeth a rhyfeddodd Aled eto at ei phrydferthwch. Roedd hi'n bleser cael helpu hon.

'Melina . . . Melina Clareno.'

Deallodd Aled ei bod hi'n rhoi ei henw iddo. 'Aled ydw inna. Aled Goodman.'

'Aa__led?' Roedd miwsig i'w enw wrth iddi hi ei ynganu.

'Pwy oedd y dynion 'na? Pam roedden nhw ar d'ôl di?'

Rhyw hanner deall ei gwestiynau yr oedd hi ac ailofynnodd yntau hwy yn arafach. Gwelodd ansicrwydd yn ei llygaid, penbleth hyd yn oed.

'Teulu!' meddai hi'n dawel, a chyn iddo gael cyfle pellach cydiodd yn ei law a dechrau'i dynnu ar ei hôl.

'Dim medru aros yma,' meddai'n glapiog. 'Mynd i rywle saffach.'

Ei dro ef oedd dilyn yn awr drwy'r cymhlethdod o strydoedd culion ac roedd yn amlwg bod ganddi well syniad o lawer nag ef o beth roedd hi'n ei wneud a ble'r oedd hi'n mynd. Arafai cyn cyrraedd pob cornel a chroesffordd a thaflu cip petrus cyn mentro mlaen. Yn raddol daeth sŵn pobl a miwsig i'w clustiau ac yn ddirybudd troesant i mewn i stryd lawn prysurdeb. Cul oedd hon eto ond roedd pob adeilad yn siop, a'u nwyddau—yn ddilladau lliwgar, lledr aroglus, lluniau olew a dyfrliw—yn rhaeadrau deniadol o boptu, yn gwneud stryd gul yn gulach fyth. Ac yng nghanol y dryswch o liw roedd siopau eraill, llai amlwg, yn gwerthu amrywiaeth di-ben-draw o grochenwaith neu ddiodydd rhad neu emwaith drud. Roedd yno siopau'n cynnig bargeinion sylweddol hyd yn oed ar gotiau ffwr gwerthfawr!

Sylweddolodd Aled, gyda dychryn, ym mhle'r oedd. Hon oedd Stryd Ermou. Canllath yn unig oedd rhyngddynt a Chaffi Arnou! Edrychodd yn wyllt o'i gwmpas am y dynion oedd ar eu holau ond doedd dim sôn amdanynt. Fe wyddai Melina beth roedd hi'n 'i neud. Roedd diogelwch yng nghanol yr holl bobl.

Wrth wau eu ffordd i lawr tua Sgwâr Monastirâci dechreuodd Aled roi rheswm ar waith. Sut gythral roedd o wedi dod i'r picil yma? Ar ei ddiwrnod olaf yng ngwlad Groeg dyma fo'n dianc oddi wrth ddieithriaid llwyr efo merch na wyddai'r mymryn lleiaf amdani. I ble'r oedden nhw'n mynd? Be nesa? Roedd ei fag a'i sach gysgu yn dal i fod ar do Caffi Arnou. Nid bod dim o werth ynddo . . .

Dyna pryd y fferrodd ei waed. Safodd yn stond gan beri bod Melina'n cael plwc ffyrnig yn ôl gerfydd ei braich.

'Pasport! Mae 'mhasport i yn fy mag i! Mae'n rhaid imi fynd i'w nôl o!'

'Na! . . . Tyrd! . . . Tyrd!'

Anodd dweud a oedd hi wedi ei ddeall ai peidio ond roedd ei llais a'r modd y tynnai yn ei fraich unwaith eto mor benderfynol nes iddo gytuno i'w dilyn. 'Mi ddo i'n ôl heno i'w nôl o,' meddai wrtho'i hun.

Gadawsant brysurdeb Stryd Ermou o'u hôl wrth i sgwâr hynafol Monastirâci agor i'w croesawu. Ar y palmant llydan i'r dde iddynt swatiai eglwys fechan. Roedd yn amlwg yn adeilad hen a diddorol iawn. Roedd y llif cyson o dwristiaid a âi trwy ei drysau yn dystiolaeth ddigonol o hynny. Gerllaw, safai dau offeiriad yn siarad, eu gwallt brith wedi'i glymu ar eu gwarrau fel gwallt merch a'u hwynebau o'r golwg mewn barfau trwchus, llaes. Ar wahân i hynny, roeddynt yn ddu o'u corun i'w sawdl yn eu hetiau a'u habidau poeth.

Sylwodd Aled ar y pethau hyn i gyd wrth gael ei dynnu'n frysiog gan Melina ar draws y sgwâr a thrwy ddrws gorsaf y trên tanddaearol. I lawr y grisiau, gan sylwi ar y fflyd o gathod tenau, diraen yn crwydro'n llygadog hwnt ac yma.

Ar y trên y daeth ato'i hun a dechrau ystyried ei sefyllfa unwaith eto. Rhedodd ias fel cryndod i lawr ei gefn a daeth yn ymwybodol o ryw ddieithrwch mawr annirnad. Ni theimlasai erioed o'r blaen gymaint ar goll ag y teimlai'r eiliad honno. Roedd gwneud unrhyw benderfyniad y tu hwnt i'w allu a syllodd yn fud o'i gwmpas ac ar wyneb y ferch ddeniadol wrth ei ochr. Gwelodd hi'n gwenu arno a theimlodd ei law yn cael ei gwasgu rhwng ei dwylo hi.

'Ni'n sâff.' Sibrydiad yn ei glust oedd ei geiriau ond roedd yn ddigon i ddod ag ef ato'i hun. 'Ni?' Doedd *o* ddim wedi bod mewn unrhyw beryg! Hyd y gwyddai . . .!

Sythodd yn ei sedd a throdd i'w hwynebu'n iawn. 'Pwy oedd y dynion yna, Melina? Pam oedden nhw ar d'ôl di?'

Ni ddaeth ateb. Syllai arno'n ddiddeall.

'Mi fydd yn rhaid imi fynd i lawr yn yr orsaf nesa a mynd yn ôl i'r caffi. Gobeithio y bydd pob dim yn iawn efo ti rŵan . . .'

Os mai cymryd arni beidio deall oedd hi cynt, methodd y tro hwn. Rhythodd yn wyllt ac ofnus arno. 'Na!' sibrydodd yn gynhyrfus. 'Paid â gadael. Peryg mawr i mi. Isio help.'

Llifodd yr anobaith fel ton oer drosto eto wrth iddo sylweddoli na allai gefnu arni yn ei helbul. Ac yna, yr un mor sydyn, fe ddychwelodd ei resymeg a'i hunanfeddiant.

'Mae'n rhaid imi gael dy stori cyn y medra i wbod sut i dy helpu. Pwy oedd rheina? Be sy'n mynd ymlaen?'

'Fi deud hanes i gyd . . . ond ddim yma. Tyrd!'

Roedd y trên wedi aros mewn gorsaf arall. THRIASSION oedd yr enw ar y wal. Allan ac yna i fyny'r grisiau i'r awyr agored i wynebu'r Parthenon o gyfeiriad hollol wahanol. Ac mewn parc cyfagos eisteddodd y ddau ar fainc gysgodol, Aled i wrando a hithau i adrodd ei stori mewn Saesneg clapiog.

'Fi'n byw yn Stamata,' dechreuodd. 'Stamata rhyw gan cilometr o Athina. Fi wedi priodi . . .' Ac aeth ymlaen i egluro i Aled fel roedd ei gŵr wedi bod yn hynod o frwnt wrthi ers tro, nes iddi fethu dioddef rhagor. Yn gynnar y bore hwnnw roedd wedi penderfynu ei adael, heb ddweud wrtho, ond daethai yntau i wybod rywsut neu'i gilydd a deall ei bod wedi dal y bws am Athen. Roedd ef a'i frodyr wedyn wedi ei dilyn mewn car a'i chanfod yn gadael y bws ar gyrion ardal y Placa. Fe wyddai Aled y gweddill.

Ffrae deuluol! Dyna'r cyfan? Teimlai'r Cymro yn flin ag ef ei hun am ymyrryd ac yn fwy blin gyda hi am ei dynnu ef i mewn i'w helynt bersonol. Cododd i'w gadael.

'Wel, mi fyddi di'n iawn o hyn ymlaen. Does dim sôn amdanyn nhw ac mi fedra inna fynd nôl i Gaffi Arnou i nôl fy mhasport.'

'Na, plîs. Ti ddim yn dallt! Fy ngŵr yn ddyn gwyllt iawn. Fo lladd fi!'

Chwarddodd Aled yn nerfus, anghrediniol.

'Mae'n anodd gen i gredu hyn'na! Ond os wyt ti gymaint o'i ofn o pam na ei di i ddeud wrth yr heddlu?'

'Amhosib! Y teulu yn siŵr o ddial.'

'Pwy ydyn nhw felly? Y Maffia?' Ymgais wan at jôc! Doedd Melina ddim yn chwerthin.

'Nhw lladd fi,' meddai'n gwbl ddifrifol. 'Ti Sais ddim yn dallt. Groegwyr yn ddynion gwyllt—peryglus.'

Ni wyddai Aled beth i'w ddweud. 'Cymro ydw i, nid Sais,' dechreuodd yn wan. 'Ac wyt ti'n meddwl deud wrtha i mai Groegwyr oedd rheina ar ein hola ni?'

Ni cheisiodd hi ateb. Anodd oedd iddo anwybyddu'r arswyd yn ei llygaid tywyll.

'Yli, Melina, mi wna i fy ngora i dy helpu i ddenig yn ddigon pell o'ma heno ond wedyn mi fydd yn rhaid iti ofalu amdanat dy hun mae arna i ofn. Fory, am un ar ddeg o'r gloch y bora, mi fydd yn rhaid i mi fod ar y plên i Lundain.'

Ochneidiodd y ferch yn ddwfn. 'Diolch,' sibrydodd.

'A rŵan, mae'n rhaid imi fynd nôl i'r caffi i nôl fy mag a 'mhasport . . . Na,' meddai, wrth ei gweld hithau'n codi hefyd, 'aros di yn fan'ma nes y do' i'n ôl. Paid â phoeni,' ychwanegodd wrth weld yr amheuaeth yn ei llygaid, 'dwi'n siŵr o ddwad yn ôl. Wna i mo'th amddifadu di.' Rhoddodd ei ddwylo ar ei hysgwyddau a'i gwthio'n ôl ar ei heistedd, yna plygodd a rhoi cusan sydyn ar ei gwefus. 'Mi fydda i'n ôl mewn llai nag awr.'

Cododd ei law arni fel sicrwydd pellach cyn diflannu o'i golwg. Dilynodd lwybr a redai trwy barc llechweddog gan anelu am y Parthenon yn y pellter. Fel y cerddai roedd digon o goed i'w gysgodi rhag yr haul ond roedd edrych ar y ddaear goch grimp o'i gwmpas yn ei wneud yn ymwybodol iawn o'i syched. Ar ôl y fath ruthr gwyllt mi fuasai potelaid o gwrw oer yn dra derbyniol rŵan pe bai amser ond yn caniatáu.

Cyn hir cyrhaeddodd y ffordd fawr ac yn union gyferbyn roedd y brif fynedfa i fyny i'r Acropolis, y dref ar y bryn, gyda'r Parthenon hardd yn ei rheoli. Cadw i'r chwith wnaeth Aled, ar hyd llwybr a ddilynai'r llechwedd o dan yr Acropolis, gan wau ei ffordd yn ddiamynedd rhwng y degau o dwristiaid chwyslyd oedd ar bererindod i deml Apolo.

O fewn chwarter awr roedd yn disgyn y grisiau serth i strydoedd culion y Placa unwaith eto a chyn hir daeth Caffi Arnou i'r golwg. Ymbwyllodd yn awr a chraffu'n wyliadwrus o'i gwmpas am unrhyw arwydd o deulu Melina. Dim ond marweidd-dra ym mhobman. Mentrodd i mewn i'r caffi. Dim sôn am Arnou. Da hynny. Byddai felly wedi bod a mynd heb i neb sylweddoli.

Roedd ei fag a'i sach gysgu yn dal i orwedd yng nghornel y to lle gadawsai hwynt. Diolch i'r drefn! Mi fyddai'n rhyddhad mawr cael ei ddwylo ar ei basport unwaith eto. Mor wirion fu ei ofnau, meddyliodd. Drannoeth byddai ar yr awyren am Lundain, a Melina a'i helbulon teuluol yn ddim ond atgof cyffrous.

Plygodd i godi ei bethau.

'Mîstyr Goodman!'

Sythodd yn gyflym i weld un o'r dynion a fu'n eu herlid yn ymddangos yn araf o du ôl i wal fechan y to. Hwn oedd y lleiaf o'r tri, yr un pryd tywyll. Gwenai'n ffals ar Aled nes peri i graith wen oedd ganddo uwchben ei lygad dde grychu'n hyll. Yn ei law roedd gwn.

Pennod 4

Ymateb yn hollol reddfol wnaeth Aled. Ni roddodd amser iddo'i hun ystyried y peryg. Chwifiodd ei fag a'i sach gysgu yn gyflym i gyfeiriad y dyn ac wrth i hwnnw geisio camu'n sydyn yn ôl i osgoi'r ymosodiad annisgwyl baglodd dros ei draed ei hun a syrthio ar ei hyd ar y to. Wrth ruthro am y grisiau i lawr i'r caffi clywodd Aled sŵn gwynt yn chwibanu heibio'i glust.

Yng ngwaelod y grisiau yn y caffi safai Arnou. Doedd dim amser i feddwl. Roedd hwn wedi'i fradychu ac yn awr roedd yn sefyll yn ei ffordd fel pe i'w rwystro. Fel y daeth o fewn cyrraedd iddo taflodd y Cymro holl nerth ei gorff ifanc y tu ôl i'r ergyd a diflannodd Arnou wysg ei gefn drwy'r planhigion y bu Melina'n cuddio y tu ôl iddynt ryw awr ynghynt. Clywodd Aled ef yn powlio'n swnllyd ar hyd y llawr.

Wrth ruthro allan trwy ddrws y caffi daeth i benderfyniad sydyn. Pan oedd yn cael ei dynnu gan Melina ar draws Sgwâr Monastirâci yn gynharach roedd wedi sylwi ar res o feiciau modur y tu allan i siop gerllaw'r orsaf. Gallai rentu beic yn fan'no a dyna sicrhau wedyn na allai'r Tom, Dic a Harri 'ma oedd ar eu hôl eu dilyn. Roedd yn hen law ar drin beic ac fe gaent fwy na'u siâr o drafferth os ceisient beri problemau iddo eto.

Ddeng munud yn ddiweddarach, ac yntau wyth can drachma'n dlotach, ffrwydrodd peiriant nerthol y beic oddi tano. 750cc! Hwn oedd y cryfaf oedd ar gael a hawl Aled arno am y pedair awr ar hugain nesaf. Ni fyddai ei angen am gymaint â hynny wrth gwrs, ond roedd yn rhaid llogi am ddiwrnod o leiaf.

Eisteddodd yn ddisymud ar y beic am funud neu ddau i geisio penderfynu sut i ddychwelyd at Melina. Wedi'r cyfan, roedd y ddinas yn bur ddieithr iddo ac yn rhwydwaith o strydoedd mawr a mân. Rhywsut neu'i gilydd byddai'n rhaid iddo fynd o amgylch yr Acropolis i'r ochr bellaf. Yr eiliad nesaf fe'i gorfodwyd i benderfynu. Yn sefyll ar ganol Sgwâr Monastirâci, yn craffu o'i gwmpas, roedd y dyn â'r gwn, ond bod y gwn bellach ynghudd. Rhoddodd Aled ryddid i'r beic a rhuodd ar draws y sgwâr, bron dros draed ei erlidiwr, ac i fyny stryd lydan a phrysur Eolou. O fewn munud roedd yn Sgwâr Omonia. Oddi yno trodd yn ôl i lawr Stryd Pireos a chyn hir daeth y Parthenon i'r golwg unwaith eto. Gan gadw hwnnw ar ei chwith fe ddaeth o'r diwedd at y parc lle gadawodd Melina. Doedd dim sôn amdani.

Fe ddylai deimlo'n falch ei bod wedi mynd. Yn hytrach, teimlai'n siomedig, am ddau reswm mae'n debyg. Yn gyntaf, roedd ei phrydferthwch wedi ei gyfareddu ac anodd oedd derbyn na fyddai'n ei gweld byth eto. Yn ail, ac yn bwysicach, roedd pethau wedi bod yn corddi yn ei ben oddi ar iddo adael Caffi Arnou ar y fath frys ac wrth wibio ar hyd strydoedd Athen ar y beic roedd peth o'r niwl wedi cilio o'i feddwl. Fe hoffai gyfarfod â Melina unwaith eto pe bai ond i gael dweud wrthi bod ei stori hi'n gwbl gelwyddog ac i fynnu'r gwir ganddi.

Rhoddodd daw ar beiriant y beic a cherddodd draw at fŵth ar y palmant i nôl potel o ddiod oer iddo'i hun.

'Aa__led!'

Trodd i syllu i fyny'r llechwedd o dan y coed. Dyna lle'r oedd hi yn sefyll ac yn chwifio'i breichiau'n eiddgar. Roedd hi'n amlwg yn wirioneddol falch o'i weld. Carlamodd i lawr ato a thaflu ei breichiau am ei wddf yn ddiolchgar.

'Fi meddwl bod chdi ddim dod nôl.' Rhedodd ei dwylo'n garuaidd i fyny ac i lawr ei freichiau cryfion. 'Diolch,' sibrydodd.

Am eiliad, teimlodd fod y gwynt wedi mynd o'i hwyliau. Sut y medrai beidio helpu angel fel hon? Sut y medrai amau ei gair am eiliad? Ond na, ym mêr ei esgyrn fe wyddai nad oedd ei stori'n dal dŵr.

'Melina.'

'Ia, Aa__led?' Roedd ei llygaid tywyll fel dau bwll o eboni tawdd ac yn llawn diniweidrwydd—neu dwyll!

Roedd yn rhaid iddo gael at y gwir.

'Melina, naill ai rwyt ti'n deud y gwir wrtha i rŵan, neu dwi'n dy adael di yn fan'ma.' Gwnaeth ei orau glas i roi caledwch yn ei lais.

'Y gwir, Aa__led? Be wyt ti'n feddwl?'

Am yr eildro fe gafodd Aled yr argraff bod ei Saesneg hi'n llawer gwell nag y cymerai hi arni ei fod. Penderfynodd ddal ati i fod yn ymosodol.

'Dwyt ti ddim yr hyn wyt ti'n ymddangos, Melina. Yn gynta, mi fedri di ddallt a siarad Saesneg yn llawar gwell nag wyt ti'n smalio.' Arhosodd i weld effaith ei eiriau.

Syllodd hi'n fud arno am ychydig eiliadau, yna gostyngodd ei llygaid fel arwydd o gyfaddefiad.

'Ac yn ail, dydw i ddim yn credu dy stori di o gwbwl. Nid dy ŵr di, nid dy deulu di sy ar ein hola ni nage? Fe driodd un ohonyn nhw fy lladd i gynna ar do'r caffi. Mi aeth bwled o'i wn o heibio 'nghlust i! A chlywis i ddim ergyd, Melina! Roedd 'na dawelydd ar flaen y gwn!' Teimlai Aled ei dymer yn corddi erbyn hyn ac ni châi drafferth bod yn swta â hi. 'Mae'n anodd gen i gredu y byddai dy ŵr a'i deulu yn barod i ladd o achos ffrae rhwng pâr priod! Os nad ydyn nhw'n perthyn i'r Maffia wedi'r cyfan, wrth gwrs,' ychwanegodd yn wawdlyd. 'A sut gythral y gwyddai un ohonyn nhw fy enw i, wn i ddim . . .'

Tawodd, gan dybio y byddai hi'n cynnig rhyw fath o eglurhad ar yr holl ddryswch ond dal i syllu'n fud ar ei thraed a wnâi.

'Wel, dyna ni 'ta! Dwi'n mynd. Dwi wedi cael fy mhetha . . . Pob lwc iti! Ac os cym'ri di 'nghyngor i fe ei di'n syth at yr heddlu.'

Roedd wedi cerdded i lawr at y beic ac wedi eistedd arno'n barod i gychwyn cyn iddi alw ar ei ôl. Gwyliodd hi'n nesáu'n ddihyder tuag ato.

'Tyrd i eistedd ar y fainc yn fan'ma,' meddai hi'n dawel. 'Fe gei di'r stori i gyd. Unwaith y clywi di'r gwir fyddi di ddim yn barod i'm helpu a fydda inna'n gweld dim bai arnat ti ond mi rydw i am ofyn iti gadw'r gyfrinach, er fy mwyn i. Wyt ti'n addo?'

'Wrth gwrs,' atebodd Aled gan ryfeddu at rugledd ei Saesneg.

'Diolch. Rydw i'n parchu dy air. A rydw inna'n addo nad oes raid iti amau'r un gair o'r hyn dwi'n mynd i'w ddweud wrthat ti rŵan . . . Fe ddwedais wrthat ti mai Melina Clareno oedd fy enw i. Dyna oedd o, nes imi briodi. Ffrancwr ydi 'ngŵr i. Jules Morisset—newyddiadurwr o Baris, *freelance*. Fe ddaeth yma i Athen ryw ddwy flynedd yn ôl i baratoi erthygl ar yr helynt rhwng gwlad

Groeg a Thwrci—gwleidyddiaeth ydi'i ddiddordeb o ti'n gweld. Ta waeth, fe briodsom, a chydig iawn ydw i wedi'i weld arno fo byth oddi ar hynny, gan 'i fod o'n crwydro cymaint efo'i waith. Fe brynodd dŷ imi yn Stamata ac mae o wedi bod yn ôl ddwywaith oddi ar inni briodi.'

Daeth i feddwl Aled ddweud rhywbeth difrïol am Jules Morisset am amddifadu cymaint ar wraig mor ddeniadol, ond brathodd ei dafod mewn pryd. Roedd Melina yn ddigon craff serch hynny.

'Mi wn i be sy'n mynd trwy dy feddwl, ond paid â choll-farnu Jules. Y rheswm pam nad ydi o wedi bod adra ydi achos yr holl helynt 'ma. Tua deng mis yn ôl y gwelis i o ddwytha. Roedd o ar gychwyn am y Dwyrain Canol. Pan ofynnis i iddo fo a oedd y gwaith yn mynd i fod yn beryglus mi chwarddodd a gwadu. Dwi'n sylweddoli erbyn rŵan mai er mwyn arbed f'ofnau i y gwnaeth o hynny. Ti'n gweld, Aled, roedd o ar gychwyn am Afghanistan, gyda'r bwriad o hel deunydd i sgwennu llyfr am y rhyfel yno, y rhyfel rhwng byddin Rwsia, sy'n gorthrymu'r wlad bellach, a'r *guerrillas* dewr sy'n ceisio'u gwrthsefyll . . . Ta waeth, chefais i'r un gair oddi wrtho fo ers deng mis ac ro'n i wedi mynd i feddwl 'i fod o naill ai wedi'i ddal yn garcharor neu wedi'i ladd. Ond bore heddiw, dyna barsel yn cyrraedd oddi wrtho. Wedi'i bostio o Bakistan! Roedd y llythyr y tu mewn yn egluro pob dim oedd wedi digwydd iddo fo yn Afghanistan ac yn rhoi cyfarwyddiada manwl iawn ynglŷn â beth ddylwn i 'i neud efo cynnwys y parsel . . .'

Am ychydig eiliadau, oedodd Melina ei stori fel pe bai'n edifar ganddi fod wedi datgelu cymaint, ond roedd yn rhy hwyr bellach a rhaid oedd mynd ymlaen. Syllodd i fyw llygaid Aled er mwyn gwneud yn siŵr ei fod yn sylweddoli arwyddocâd ei geiriau nesaf.

'Mae'r parsel yn cynnwys ffilm a lluniau ac adroddiad manwl ar dâp o bob dim a welodd ac a glywodd Jules yn ystod y deng mis dwytha 'ma—tystiolaeth ddamniol i Rwsia, yn profi tu hwnt i bob amheuaeth fod milwyr Rwsia yn poenydio ac yn dienyddio'u carcharorion yn Afghanistan . . . ffilm yn dangos protestwyr diniwed yn gorwedd ar draws ffordd i geisio atal tanciau Rwsia, a'r tanciau hynny'n eu gwasgu i farwolaeth wrth y degau . . . adroddiadau o boenydio erchyll mewn carcharau. Yn ôl y llythyr, mae'r hyn sydd ym mharsel Jules yn mynd i greu andros o ddaeargryn gwleidyddol. Mae pawb yn gwybod bod yr Iancs wedi gneud petha tebyg yn Vietnam ond gan nad oedd hi'n bosib profi'r peth i'r byd yna wnaed dim llawer o stŵr. Ond mae deunydd Jules, medda fo, mor ffrwydrol ag unrhyw fom.'

'A beth wyt ti'n fwriadu'i neud efo fo 'ta?'

'Mi drefnodd Jules i'r parsel fynd allan o Afghanistan dros y ffin i Bakistan. Mae'n deud yn 'i lythyr 'i fod o wedi trefnu i griw bach o'r *guerrillas*, oedd yn sylweddoli mor bwysig i'w hachos oedd cynnwys y parsel, fynd â fo allan o'r wlad a'i bostio fo i mi. Y marc post arno fo ydi PESHAWAR. Ond rydw i'n poeni am Jules, Aled! Ar gefn y parsel mae 'na lun blêr o ffenest carchar ac enw Jules i mewn ynddi hi, fel pe bai un o'r *guerrillas* yn ceisio deud wrtha i fod 'y ngŵr i wedi'i ddal yn fuan ar ôl iddo fo drosglwyddo'r parsel.'

'Pam oedd o'n anfon y parsal i ti, Melina? Pam na fasa fo wedi trefnu iddo fo gael 'i yrru'n syth at lywodraeth Ffrainc neu Brydain neu rwla?'

'Am mai ffrwyth 'i waith o ydi cynnwys y parsel, siŵr iawn. Mae'r stori yma'n werth ffortiwn mewn papur newydd ac mae Jules am i mi gael yr arian. Mae'n deud yn 'i lythyr imi fynd ar f'union i Baris a thrafod a bargeinio efo rhyw olygydd papur newydd yn fan'no. Mae o wedi rhoi'r enw a'r cyfeiriad imi. Cychwyn am y maes awyr oeddwn i pnawn 'ma pan ddaeth y dynion 'na ar f'ôl i.'

'Wel pwy ydi Tom, Dic a Harri 'ta, os nad y Maffia teuluol?'

Syllodd Melina'n gwbl ddiddeall arno. Chwarddodd yntau'n wan.

'Fi sy wedi rhoi'r enwa yna ar y tri oedd ar ein hola ni. Mae'n rhaid iddyn nhw gael enwa! Wel? Pwy oedden nhw? Rhywrai wedi clwad am stori Jules ac am 'i dwyn hi i'w gwerthu 'u hunain?'

Edrychodd Melina'n dosturiol arno. 'Gresyn na fasan nhw mor ddiniwed â hynny! Does gen i ddim amheuaeth o gwbwl nad Rwsiaid ydyn nhw.'

Syrthiodd ceg Aled yn llydan agored. 'Uffarn dân! Wyt ti'n siŵr? Wyt ti'n sylweddoli be ti'n ddeud?'

'Yn anffodus, ydw. Rydw i wedi bod yn meddwl am y peth er pan welis i nhw ar f'ôl i. A deud y gwir, dwi'n sylweddoli rŵan eu bod nhw wedi bod yn cadw golwg arna i ers dyddiau. Does ond un eglurhad hyd y gwela i. Mae Jules druan wedi cael 'i ddal, mae o wedi cael 'i boenydio nes datgelu pob dim. Fe gawson nhw wybod ganddo fo fod y parsel gyda'r ffilm a'r tâp a phob dim arall ar 'i ffordd ata i.' Gostyngodd ei llais. 'Mae gen i ofn mai'r KGB ydi Tom, Dic a Harri, Aled!'

Gwasgodd y geiriau fel llaw oer am galon Aled Goodman. Am rai munudau roedd ei ben yn y fath drobwll gwyllt fel ei fod yn methu meddwl yn glir am ddim. Hyd yn oed i fecanig bach di-sôn-amdano mewn lle fel Bangor, ar gyrion eithaf gorllewin Ewrop, roedd trylwyredd y KGB yn ddihareb. Gwyddai ddigon amdanynt i sylweddoli bod ei fywyd bellach o dan fygythiad real iawn ac am y tro cyntaf erioed daeth i wybod beth oedd arswyd pur. Mewn llais bloesg gofynnodd,

'Lle mae'r parsal rŵan?'

'Wedi'i guddio.'

'Lle?'

'Yng nghanol y planhigion yn y caffi lle'r oeddwn i'n cuddio.'

'Caffi Arnou?' Gwibiodd darlun trwy feddwl y Cymro o'i gyfarfyddiad cyntaf â'r ferch. Ni allai gofio ag unrhyw sicrwydd ei bod yn cario dim heblaw ei bag-llaw. Yna daeth darlun arall i'w gof—perchennog y caffi yn hedfan wysg ei gefn drwy'r planhigion ar ôl cael ei daro. Mi fyddai'n siŵr o fod wedi darganfod y parsel.

'Be wnaeth iti 'i adael o yn fan'no?'

'Ches i ddim llawer o amser i styried. Mi feddyliais y byddai'n sâff yno—allan o olwg pawb—nes y cawn i gyfle i fynd yn ôl . . .'

'Ond pam na faset ti wedi deud wrtha i gynnau, pan o'n i'n cychwyn i nôl fy mhetha fy hun o'no?'

'Doeddwn i ddim yn gwybod a fedrwn i dy . . . dy . . . drystio di ai peidio,' meddai Melina'n gloff. 'Falla . . . falla na faswn i ddim wedi dy weld di na'r . . . parsel byth eto.'

'Be dwi'n fethu'i ddallt,' meddai Aled, gan newid cyfeiriad y sgwrs, 'ydi sut oedd hwn'na efo'r gwn yn gwbod f'enw i. Mae'i lais o fel cnul yn fy mhen i o hyd . . . "Mîstyr Goodman," medda fo.'

'Arnou ddwedodd wrtho fo falla.'

'Na, doeddwn i ddim wedi deud f'enw wrth hwnnw chwa . . .'

Gwelodd Melina ef yn gwelwi ac yna'n rhuthro at y beic i ymbalfalu yn ei fag. Pan gododd ei ben i edrych arni, doedd dim defnyn o waed yn ei wyneb a doedd ei lais ond sibrydiad cryg.

''Mhasport i!' meddai. 'Mae 'mhasport i wedi mynd!'

Pennod 5

Roedd hi wedi tywyllu pan ddychwelodd y ddau i ardal y Placa a'r olygfa a'r awyrgylch yn dra gwahanol erbyn hyn. Gyda machlud yr haul fe ddiflannodd y marweidd-dra hefyd. Roedd goleuadau amryliw a miwsig rhamantus *bouzouki* yn bywiogi'r ugeiniau o fwytai, a goleuid y myrdd o fân siopau gan lampau olew drewllyd. Roedd y strydoedd yn ferw fel bwrlwm ffair, y siopwyr wedi darganfod rhyw eiddgarwch o'r newydd a'r twristiaid yn barotach eu diddordeb a'u cwsmeriaeth. Roedd Caffi Arnou, hyd yn oed, yn rhan o'r prysurdeb heintus a phob bwrdd ar y palmant yn dal amrywiaeth diddorol o wydrau a diodydd.

'Mi adawa i'r beic yn fan'ma,' meddai Aled dros ei ysgwydd wrth y ferch ac anelu am lecyn go dywyll tuag ugain llath oddi wrth y caffi. Yna pwyntiodd at gaffi bychan arall bron gyferbyn. 'Mi awn ni i fan'cw am dipyn i wylio.'

Nodiodd Melina mewn dealltwriaeth. Rhaid oedd gwneud yn siŵr nad oedd eu herlidwyr o gwmpas.

Cawsant fwrdd wrth ffenest gul a gosododd Aled ei hun yn y fath fodd fel y gallai gadw golwg ar Gaffi Arnou.

'Rydw i'n disgyn o eisiau bwyd, Aled. Be amdanat ti?'

Aeth Aled i'w boced ac yna i'w waled i weld faint o bres oedd ganddo'n weddill.

'Na, paid â phoeni—fi sy'n talu.'

Roedd lamp fechan ar ganol y bwrdd yn amlygu pob disgleirdeb yn ei llygaid a'i gwefusau a'i gwallt. Syllodd yn hir arni a phan wenodd arno teimlodd ei galon yn cyflymu'n gynhyrfus. Yna'n ddirybudd llithrodd ei llaw ar draws y bwrdd a gorwedd ar ei law gref yntau.

Perchennog y caffi a dorrodd yr hud. Pesychodd yn gwrtais i arwyddo'i bresenoldeb a theimlodd Aled ei hun yn gwrido er ei waethaf. Trodd i syllu ar Gaffi Arnou tra archebai Melina y bwyd. Gallai weld Arnou yn gwibio'n brysur o'r naill fwrdd i'r llall ond nid oedd sôn am unrhyw wyneb cyfarwydd arall yno.

'Fydd hi'n ddiogel mentro, Aled?'

'Wn i ddim. Mi fydd rhaid bod yn ofalus yn reit siŵr ond go brin 'u bod nhw'n dal i gadw golwg ar y lle. Dydyn nhw ddim yn gwbod fod gen i reswm pellach dros ddwad yn ôl yma—ac os ydi Arnou wedi ffeindio'r parsal a rhywsut neu'i gilydd wedi gadael iddyn nhw wbod, yna mi fyddan nhw wedi'i gael o bellach ac wedi mynd . . .'

Gosodwyd potel o win Retsina a dau wydryn o'u blaen. Roedd Aled wedi blasu hwn o'r blaen ac nid oedd yn rhy hoff o flas y sudd pîn oedd arno. Ni ddywedodd ddim fodd bynnag a thywalltodd lasiad bob un iddynt. Cyn hir cyrhaeddodd y bwyd ac wrth syllu ar y *kebab* a'r *souvlaki* aroglus y sylweddolodd mor wag yn wir oedd ei gylla.

Buont yn bwyta'n dawel am ddeng munud a rhagor ac wrth lowcio gwydraid ar ôl gwydraid o'r gwin rhyfeddodd Aled at y modd y gellid magu chwaeth at y Retsina. O'r diwedd, ymlaciodd yn ei gadair, ei nerth wedi ei adnewyddu.

'Beth wnei di, Aled? Aros nes bydd y caffi wedi cau?'

'Nage, neu mi fydd yn rhaid inni aros am oriau eto. Os ydi hi'n glir mi a' i i mewn i weld ydi'r parsal yn dal i fod yno . . .'

'Ond . . .'

'Paid â phoeni,' meddai, wrth glywed y pryder yn ei llais, 'mi fydda i'n ddigon gofalus. Bydd di'n barod wrth y beic pan ddo i allan rhag ofn y bydd rhaid inni adael ar dipyn o frys.'

Gadawodd Melina fwy na digon o arian ar y bwrdd i dalu'r bil a chododd y ddau i adael. Y tu allan roedd criw o Saeson ifanc swnllyd yn dod i lawr y stryd.

'Dos at y beic. Mi ymuna i efo'r rhain i basio Caffi Arnou ac mi ga i gyfla i sbio i mewn heb dynnu sylw neb, gobeithio.'

Ufuddhaodd Melina'n ddigwestiwn a manteisiodd Aled ar ei gyfle i gymysgu efo'r criw ifanc. Wrth nesu, craffodd ar bob wyneb yng Nghaffi Arnou heb adnabod neb; syllodd o gwmpas rhag bod rhywun yn cadw golwg ar yr adeilad a thaflodd gip hyd yn oed i fyny tua'r to rhag ofn. I bob golwg doedd dim achos pryderu a phenderfynodd weithredu ar y cyfle cyntaf a gâi. Aeth i sefyll mewn cysgod yn union gyferbyn â'r drws gan adael i'r fintai ifanc stwrllyd anelu am Stryd Ermou ganllath neu fwy i ffwrdd.

Roedd Arnou'n sefyll wrth fwrdd y caffi yn nodi archeb yn ei lyfr bach. Gŵr a gwraig a dau o blant oedd wrthi'n archebu ac roedd yn amlwg oddi wrth y diflastod ar wyneb y Groegwr fod y twristiaid naill ai'n cael trafferth deall y fwydlen neu'n ei chael yn anodd penderfynu.

Gwyddai Aled bellach beth oedd rhaid iddo'i wneud a churai ei galon yn gynhyrfus wrth iddo orfod aros. O'r diwedd gwelodd Arnou yn troi ac yn prysuro tua'r ystafell gefn i baratoi archeb y teulu trafferthus. Brysiodd y Cymro ifanc ar draws y stryd gul a gwau ei ffordd rhwng y byrddau i gyfeiriad y llen o blanhigion lle gwelsai Melina'n llechu yn gynharach yn y dydd.

Roedd cip sydyn yn ddigon iddo sylweddoli nad oedd y parsel yno. Heb oedi, igam-ogamodd rhwng rhagor o fyrddau, heibio i dalcen cownter byr a thrwy ddrws a arweiniai i ystafell gefn. Rhyw fath o gegin oedd hon ac yno yr oedd Arnou yn coginio'n chwyslyd mewn cwmwl o fwg.

Agorodd ei lygaid a'i geg led y pen wrth iddo weld Aled a daeth cymysgedd o ofn ac atgasedd i'w edrychiad. Cyffyrddodd â'i ên yn dyner wrth gofio ymosodiad Aled arno a sylwodd y Cymro ar ddüwch tebyg i glais o dan ei geg.

'Y parsal! Ble mae o?' Ceisiai Aled swnio'n galed a brwnt er mwyn dychryn y Groegwr i ufuddhau. Ond syllu'n ddiddeall wnaeth hwnnw cyn sythu ei gorff mewn ystum o styfnigrwydd.

'Mae'n rhaid imi ddychryn mwy arno fo a hynny'n sydyn neu cha i ddim gwybodaeth ganddo fo,' meddyliodd Aled. Cymerodd gam bygythiol ymlaen a chydio yn Arnou gerfydd ei grys seimlyd. Gyda phlwc diamynedd tynnodd ef ar ei ôl i'r drws a arweiniai i'r caffi gan obeithio na fyddai'r un o'r cwsmeriaid yn sylwi. Pwyntiodd â'i law rydd tuag at y planhigion. 'Y parsal!' sibrydodd eto'n fygythiol a gwthio'r Groegwr yn ôl i'r ystafell gefn. Gwawriodd dealltwriaeth o'r diwedd yn llygaid hwnnw. Roedd yn amlwg nad oedd wedi cysylltu Aled efo'r parsel y daethai o hyd iddo yn ei gaffi. Roedd wedi meddwl mae'n debyg mai rhyw gwsmer arall a'i gadawsai yno.

Am eiliad tybiodd Aled ei fod am styfnigo fwyfwy. Gwelai her yn magu yn ei lygaid tywyll a'i fwstás yn amlygu'r atgasedd yn nhro ei wefus uchaf. Rhaid ei fod wedi meddwl eilwaith, fodd bynnag, oherwydd trodd a syllu i fyny ar silff uwch ei ben. Arni roedd parsel mewn papur llwyd. Heb oedi cydiodd Aled ynddo a chychwyn tua'r drws, yna fel pe bai wedi ailfeddwl trodd i syllu i fyw llygad y Groegwr. 'Diolch,' meddai'n gwrtais. 'Mae'n ddrwg gen i,' ychwanegodd yn dawel. Yna roedd yn brysio allan o'r caffi i gyfeiriad y beic.

Pan welodd Melina'r parsel rhoddodd wich o bleser a thaflu ei breichiau am wddf Aled.

'I ble rŵan, Melina?'

Pennod 6

Gwibiai'r beic i mewn ac allan trwy drafnidiaeth yr hwyr. Teimlai Aled y tyndra'n treio o'i gorff wrth i awel gynnes y nos gydio yn ei wallt a goglais ei freichiau noeth. Roedd Melina'n dynn wrth ei gefn, ei phen yn gorffwyso'n gysgodol ar ei ysgwydd a'i breichiau'n gwasgu fel gwregys am ei ganol. Tu cefn iddi roedd y parsel gwerthfawr wedi ei glymu'n ddiogel gyda phaciau Aled.

O fewn deng munud roedd y beic wedi ei barcio'n guddiedig yng nghysgod mangoed ar fin y ffordd ac aml i feic arall a scwter i gadw cwmni iddo. Dros y ffordd gyferbyn safai gwestai mawrion poblogaidd Glifada ac o'u llofftydd gellid syllu allan dros y mangoed a'r beiciau, dros rimyn hir o barcdir coediog yn cydredeg â'r ffordd fawr. Tu draw i'r parc, nad oedd ond rhyw ganllath ar ei letaf, roedd y môr yn tawel lempian y traeth gwag.

Syniad Aled fu dod yma. 'Mi fyddwn yn saffach,' meddai. 'Mae 'na gannoedd o bobol ifainc yn cysgu allan yn y parc 'ma neu ar y traeth bob nos. Mi gei di ddefnyddio fy sach gysgu i . . .'

Ni fu dim dadlau. Dilynodd Melina ef ar hyd llwybr y parc gan sylwi ar y tyrrau o bobl ifainc yma ac acw yn sgwrsio, yn rhannu poteli ac yn smygu. Llenwid yr awyr gan eu lleisiau a'u chwerthin llon a chan gymysgedd o arogleuon blodau a llwyni.

'Mi fydd fan'ma'n iawn.' Arweiniodd Aled hi i lecyn clir yng nghysgod coeden gnotiog, fawr. Sylwodd Melina iddo ddewis lle rhwng dau griw ifanc niferus a fyddai, a barnu oddi wrth eu hwyliau a'r nifer poteli llawn oedd ganddynt, yn effro ac yn fywiog ymhell i'r nos. Teimlai'n ddiogel yma ac yn ddiolchgar i Aled am ddewis mor ddoeth.

'Beth wnaeth iti feddwl am fan'ma, Aled?'

'Yma y cysgis i neithiwr ac echnos,' atebodd yn fyfyriol, 'ond roeddwn i isio cael treulio noson ola fy ngwylia yn Athen 'i hun . . .'

'Diolch am hynny!' sibrydodd Melina dan ei gwynt.

Taflodd Aled ei sach gysgu iddi ac yna eisteddasant ar y glaswellt i sgwrsio a gwneud eu cynlluniau.

'Rydw i wedi bod yn meddwl, Melina. Y peth cynta i'w neud fydd dy gael di'n ddiogel ar y plên i Baris—ond gwell fydd aros am ddiwrnod neu ddau cyn hynny. Mi fyddan nhw'n siŵr o fod yn cadw llygad ar y maes awyr am rai dyddia. Ble mae dy basport di? Oes gen ti ddim dillad eraill na dim efo ti?'

'Oes. Dwi wedi gadael y cês yn swyddfa'r bysus yn ymyl Sgwâr Omonia. Mae 'na le yn fan'no i adael bagia dros dro. Mae'r pasport yn y cês.'

'Wel y peth gora i'w neud bora fory fydd mynd i nôl y pasport ond gadael y cês yno. Fedrwn ni ddim cario hwnnw ar y beic. Mi fyddi di isio'r pasport rhag ofn y bydd raid iti adael Athen ar frys.'

'Ond be amdanat ti, Aled? Maen nhw wedi cymryd dy basport di. Sut ei di adra?'

'Dwi wedi bod yn meddwl am hynny hefyd. Does gen i ddim gobaith dal plên fory, felly waeth imi aros efo ti ddim nes y byddi di wedi gadael y wlad yn sâff. Wedyn fydd gen i ddim dewis ond mynd i Lysgenhadaeth Prydain a gofyn iddyn nhw yn fan'no fy helpu.'

Teimlodd Melina yn gwasgu ei law. 'Diolch, Aled,' meddai hi gyda rhyddhad. 'Wna i byth anghofio dy garedigrwydd—byth dy anghofio di.'

Gwyrodd yn sydyn tuag ato a'i gusanu'n hir. Teimlodd ei hun yn meddwi yn arogl ei gwallt.

'Fydd posib imi dy weld ar ôl i hyn i gyd fod drosodd?' gofynnodd iddi'n betrus. Ofnai mai diolchgarwch yn unig oedd yn gyfrifol am y gusan.

'Bydd, gobeithio. Os ydi Jules yn dal yn fyw, ac os daw o'n ôl o Afghanistan, mi fydd o isio diolch iti . . . Os nad ydi o'n fyw, wel . . . mi faswn *i*'n licio dy weld di eto.' Sibrydiad yn unig oedd ei geiriau olaf. Roedd wedi cydio yn y parsel ac yn syllu'n ddagreuol ar y llun brysiog ar ei gefn, llun barrau carchar a'r enw JULES y tu mewn iddynt. Ia, meddyliodd Aled wrtho'i hun, dyna ffordd rhyw genedlaetholwr dewr o ddangos bod Jules wedi'i ddal.

'Os ydi o'n bosib, Melina, mi garwn i gael gweld y lluniau sydd yn y parsal 'na.'

'Siŵr iawn, Aled! Fory, pan fydd digon o olau. Cip sydyn ydw i fy hun wedi'i gael arnyn nhw.'

'Mae'n rhaid eich bod chi'ch dau yn drwm eich clyw—neu'ch bod chi wedi ymgolli mewn cariad ne rwbath!' Dychrynodd y ddau wrth glywed y llais dieithr uwch eu pennau a neidiodd Aled yn gyflym ar ei draed i wynebu'r dieithryn, yn barod i'w amddiffyn ei hun a Melina.

Bachgen ifanc tua'r un oed ag Aled a safai yno. Roedd ei wallt o liw ŷd aeddfed a'i groen yn felynfrown iach. Fflachiai ei ddannedd mewn gwên gyfeillgar. Amdano gwisgai grys ysgafn llac a phâr o *shorts* a fu unwaith yn jîns llaes cyn i siswrn brysiog ddwyn y coesau oddi arnynt.

'Rydan ni wedi bod yn trio tynnu'ch sylw chi ers meitin. Meddwl y carech chi ymuno â ni.' Pwyntiodd i gyfeiriad ei gyfeillion, rheini hefyd, yn fechgyn a merched, o'r un pryd a gwedd ag yntau a'r un mor ffwrdd-â-hi eu gwisg.

'Diolch,' atebodd Aled gan synhwyro y byddai Melina hefyd yn teimlo'n ddiogelach o fod mewn cwmni mwy. 'Sgandinafiaid ydach chi?'

'Ia. Chwech ohonom ni o Norwy. Pedwar arall o Ddenmarc. Heno ddaru ni eu cwarfod nhw. Saeson dach chi?'

'Nage. Un o'r wlad yma ydi Melina. Cymro ydw i. Aled ydi'r enw.' Ysgwyd llaw ac yna ei ddilyn at weddill y criw. Croeso swnllyd yn fan'no a chyflwyniadau brysiog cyn i un o'r cwmni estyn potel o win iddynt ei rhannu.

Am y ddwy awr a hanner nesaf cawsant anghofio'u pryderon bron yn llwyr wrth sgwrsio a gwrando ar brofiadau a throeon trwstan y lleill yn ystod y gwyliau. Eu hunig ofal oedd parsel Jules a thaflai Aled a Melina gip cyson i'w gyfeiriad i wneud yn siŵr ei fod yn dal yno ymysg eu pethau o dan y goeden. Roedd hi wedi dau o'r gloch y bore pan benderfynodd pawb noswylio ac ar ôl rhoi ei sach gysgu i Melina setlodd Aled mor gyfforddus ag y gallai ar y ddaear galed ond sych. Cyn cau ei lygaid sylwodd fod y parsel yn ddiogel ym mreichiau Melina.

Rhyw slwmbran anesmwyth fu gweddill y nos i'r ddau rhwng bod eu gwely mor anghyfforddus a'r awyrennau'n swnllyd wrth fynd i mewn ac allan o faes awyr Athen ddwy filltir i ffwrdd. Sawl gwaith bu Aled yn craffu ar ei wats yn y tywyllwch, a'r tro olaf iddo wneud hynny roedd y wawr yn torri'n oer yn y dwyrain. Rhaid ei fod wedi cysgu wedyn oherwydd pan ddeffrôdd gallai deimlo gwres yr haul ar ei gorff a chlywed y cricedau'n swnllyd ym mhob coeden yn y parc. Edrychodd ar ei wats. Chwarter wedi saith. Roedd ei ben yn dyrnu. Effaith y gwin mae'n debyg. Caeodd ei lygaid drachefn gan ddymuno suddo'n ôl i'w gwsg braf.

'Aled!' Roedd Melina ar ei heistedd yn y sach gysgu ac wedi ei weld yn agor ei lygaid. 'Be fydd y peth gora inni neud heddiw?'

Rhwbiodd ei lygaid yn ffyrnig a phwyso'n galed ar ei ddwy arlais i geisio cael gwared ar y cur yn ei ben. Gwthiodd ei fysedd wedyn trwy ei wallt hir i roi rhyw fath o drefn arno am y dydd. 'Gadael Athen am chydig ddyddia dwi'n meddwl.' Yn ystod adegau effro'r nos roedd wedi cael cyfle i bwyso a mesur eu sefyllfa a gweld pethau'n gliriach. 'Mi fasa'n well inni chwilio am ryw bentra bach diarffordd lle na fydd neb yn debygol o ddwad o hyd inni ac yna, mewn rhyw ddeuddydd neu dri, mi fydd hi'n sâff iti ddal plên am Baris. Ond cyn hynny, mi fydd rhaid inni fynd i nôl dy basport o'r cês . . .'

'Bore da!' Roedd un o'r criw y buont yn eu cwmni'r noson gynt yn dod tuag atynt o gyfeiriad y môr. Un o'r merched oedd yno, wedi ei gwisgo mewn bicini a'i gwallt yn wlyb diferol. Roedd gweddill ei ffrindiau hi'n dal i gysgu'n drwm.

'Bore da! Wedi bod yn nofio'n gynnar iawn!'

'Do—i glirio'r pen,' meddai hi gan wenu. Peth deniadol, meddyliodd Aled, oedd y cyfuniad hwn o brydferthwch ac anwyldeb mewn merch.

'Syniad da! Ond mi fodlona i ar gawod oer dwi'n meddwl.' Aeth y tu ôl i lwyn a phan ailymddangosodd ymhen munud neu ddau roedd yntau mewn gwisg nofio. 'Be amdanat ti, Melina?'

'Na, dim diolch. Mi a' i i olchi fy wyneb yn y ffynnon yn fan'cw.'

Bob rhyw ganllath ar ymyl y parc a ffiniai â'r traeth roedd cawodydd o ddŵr oer at wasanaeth nofwyr y môr. Wedi bod yn y dŵr roedd y rhain yn ddefnyddiol iawn i olchi'r tywod a'r halen oddi ar y corff cyn ei sychu â lliain. Anelodd Aled am un o'r cawodydd hyn a chyn hir roedd dŵr oer y bore cynnar yn tasgu drosto ac yn symud ei flinder a'i gur. Pan ddychwelodd at Melina roedd ei feddwl yn glir a'i gorff yn barod am helyntion y dydd. Er gwaethaf grŵn y drafnidiaeth, dal i gysgu a wnâi gweddill y Sgandinafiaid.

'Rhaid inni fynd,' meddai Aled wrth y ferch yn y bicini. 'Wnei di ddeud wrth y lleill ein bod ni'n ddiolchgar iawn ichi i gyd am eich cwmni—ac am y gwin,' ychwanegodd gyda gwên gan roi ei law ar ei dalcen i awgrymu effaith y ddiod. Gwenodd y ferch ei gwên ddeniadol a chododd ei llaw mewn ffarwel.

Buan y sychodd gwallt Aled wrth i'r gwynt cynnes chwipio trwyddo. Teimlai'n gyfforddus braf ar y beic gyda Melina'n ei wasgu o'r cefn. Ni fyddai o bwys ganddo wynebu Tom, Dic a Harri rŵan, gwn neu beidio.

'Mae hi bron yn naw o'r gloch,' gwaeddodd dros ei ysgwydd. 'Mi fydd gorsaf y bysus wedi agor erbyn hyn iti gael dy basport.'

Rhyw ddeng munud o daith oedd hi o Glifada i ganol Athen. Roedd y ddinas wedi deffro ers dwyawr a rhagor a phawb wrthi fel lladd nadredd er mwyn cwblhau eu gwaith cyn gwres llethol a siesta'r pnawn. Gwaeddai Melina gyfarwyddiadau yn ei glust tra canai modurwyr diamynedd eu cyrn aflafar yn ddi-baid o bob cyfeiriad. Gan gadw'r Acropolis ar y chwith iddynt aethant i fyny stryd lydan brysur Leoforos Amalias cyn troi i'r El Venizelou. Arweiniodd hon hwynt yn syth i Sgwâr Omonia. Dau funud arall ac roedd Aled yn stopio'r beic y tu allan i'r orsaf fysus lle'r oedd Melina wedi gadael ei chês.

Roedd yr orsaf wedi ei lleoli yn un o gorneli sgwâr bychan prysur a hwnnw'n hanner llawn o fysus glas a gwyn y ddinas. Gyferbyn sylwodd Aled ar gaffi a phan ddaeth Melina yn ei hôl o'r diwedd a'i phasport yn ei llaw, awgrymodd ef y medrent gael ychydig frecwast yno cyn cefnu ar Athen. Gadawodd y beic lle'r oedd a cherddodd y ddau draw at y caffi.

Wydden nhw ddim fod pâr o lygaid yn eu gwylio. Yn isel yn sedd y gyrrwr mewn car mawr du, pwerus gerllaw eisteddai gŵr byr o gorff a thywyll ei wallt. Roedd ganddo graith fer uwchben ei lygad dde. Hwn fyddai Aled yn ei adnabod fel Harri mae'n debyg, y trydydd o'r tri a fu'n eu herlid. Wrth eu gwylio'n croesi'r sgwâr tua'r caffi cododd y dyn bach radio-tonfedd-fer at ei geg a siarad yn frysiog a chynhyrfus iddi, yna gadawodd ei gar a mynd yn llechwraidd i orsaf y bysus i wneud ei ymholiadau. Pan ddaeth allan drachefn roedd ei wyneb yn bictiwr o hunan-fodlonrwydd. Wedi'r cyfan, ei syniad ef ei hun fu aros yma a chadw llygad ar y lle hwn tra oedd ei ddau gyfaill wedi mynnu gwylio'r maes awyr. Onid oeddynt wedi dilyn Melina Morisset o'i chartref yn Stamata pan geisiodd hi ddianc rhagddynt? Ac onid oeddynt wedi ei gweld yn gadael ei chês yn swyddfa'r bysus cyn iddi neidio i dacsi a'r parsel dan ei braich? Yna roedd y tacsi wedi ei gollwng yn ardal y Placa lle'r oedd yr hipi hirwallt wedi ei helpu i ddianc. Onid oedd yn sefyll i reswm y byddai Melina Morisset yn dychwelyd i nôl ei chês cyn gadael Athen. Do, fe roddodd bleser digymysg iddo hysbysu ei gyfeillion dros y radio mai ef oedd yn iawn wedi'r cyfan a dweud wrthynt am ymuno ag ef yma. Edrychodd ar ei wats. Byddent yma o fewn deng munud.

★ ★ ★

'Gofyn am rywbeth sydyn. Fedrwn ni ddim mentro aros yma'n hir.' Eisteddent wrth fwrdd yn ffenest y caffi bach diraen a llygaid Aled yn gwibio'n ôl a blaen ar draws y sgwâr. Teimlai ar bigau'r drain unwaith eto.

Archebodd Melina heb oedi a chyn pen dim gosodwyd dwy baned o goffi Groegaidd du o'u blaen a rhywbeth tebyg i gacen gig bob un. Roedd y coffi'n chwerw ac roedd blas anghyffredin a dweud y lleiaf ar y gacen gig—os mai dyna oedd—ond llyncodd Aled y cyfan gydag awch.

'Reit, tyrd!' Cododd a chydio yn y parsel oddi ar y bwrdd gan adael i Melina unwaith eto dalu am y bwyd. Aeth i sefyll i ddrws agored y caffi i aros amdani ond dychwelodd bron ar unwaith.

'Mae 'na un ohonyn nhw tu allan, Melina! Mae o'n sefyll wrth 'i gar 'rochor bella i'r sgwâr. Tuag yma mae o'n edrych.'

'Wyt ti'n siŵr? Falla dy fod di'n camgymryd.'

'Dim uffar o beryg!' Daethai min i'w lais. 'Y fo ydi'r cythral driodd fy saethu i!' Yna ychwanegodd yn ddifrifol dan ei wynt, 'Dydi o ddim yn fôi i chwara efo fo!'

'Be wnawn ni rŵan?'

'Aros di yma ac mi a' inna i nôl y beic. Os gweli di fi'n cael fy nal, rheda am dy fywyd o'ma a dos â'r parsal 'ma efo ti. Fel arall, bydd yn barod i neidio ar y beic gyntad ag y bydda i'n stopio tu allan i'r drws 'ma.'

Wrth groesi'r sgwâr tuag at y beic câi Aled drafferth i ffrwyno'r awydd i ruthro. Nid oedd eisiau dangos ei fod yn ymwybodol o bresenoldeb y llall o gwbl ond roedd yn anodd cadw'r panig o'i gerddediad. Ceisiodd adael i'w feddwl grwydro at bethau eraill. Sut oedd ei fam erbyn hyn tybed? 'Run fath mae'n siŵr. Doedd bosib fod gwyrth wedi digwydd iddi yn yr ychydig wythnosau y bu ef i ffwrdd . . . A be am ei dad? Cyn belled ag y câi hwnnw ei beint yn gyson a chwmni ei fêts i siarad am geffyla a phêl-droed, doedd dim llawer o ddim o'i le ar y byd . . . Hanner ffordd ar draws y sgwâr erbyn hyn a'r beic yn dal i ymddangos bellteroedd i ffwrdd. O gil ei lygad câi gip ar y Rwsiad yn symud yn araf tuag at ei gar gan barhau i'w wylio'n ofalus . . . *Be 'di dy gêm di, mêt? Mynd i nôl dy wn tybad? Feiddi di mo'i iwsio fo yn fan'ma yng ngŵydd pawb! Am wn i! . . . Ne falla dy fod di'n bwriadu fy nilyn i!* Gwenodd er ei waetha wrth feddwl hynny . . . *Mae croeso iti drio, 'rhen frawd! Waeth gen i be ydi dy gar di, mi gei di gythral o waith cadw i fyny efo'r beic . . .*

Erbyn iddo groesi'r sgwâr sylwodd fod y Rwsiad wedi mynd i eistedd i'w gar a thanio'r peiriant. Smaliodd Aled droi'n ddi-frys o gylch y beic cyn deffro peiriant hwnnw, yna eisteddodd yn hamddenol arno fel petai'n disgwyl i Melina ymuno ag ef. Yr eiliad nesaf roedd olwyn flaen y beic yn codi'n glir o'r ddaear wrth i'r olwyn ôl sgathru'n wyllt ar wyneb y ffordd. Safodd nifer o bobl i wylio'n chwilfrydig wrth weld y beic yn rhuthro ar draws y sgwâr a brecio'n swnllyd y tu allan i'r caffi. Gwelsant ferch wallt ddu brydferth yn brysio allan i ymuno â'r gyrrwr ar y beic, ei ffrog felen ysgafn yn codi'n ddeniadol i ddangos ei choesau brown. Roedd parsel yn ddiogel dynn yn ei breichiau.

Roedd Aled eisoes wedi penderfynu mai tua'r gogledd yr âi. Trodd i wylio'r car du yn dechrau symud rownd y sgwâr ar ei ôl. Bron na fu'r eiliad honno yn ddigon amdanynt.

'Aled!' Byddarwyd ef gan sgrech Melina yn ei glust. 'Watsia!'

Ar yr eiliad olaf trodd i osgoi'r car du arall oedd wedi rhuo i mewn i'r sgwâr ac wedi torri ar draws eu llwybr. Tom a Dic, meddyliodd Aled wrth syllu ar y ddau oedd ynddo a chofio'r olwg gyntaf a gawsai arnynt y tu allan i Gaffi Arnou ddoe. O ble gythral ddaeth rhain?

Bu'n rhaid mynd â'r beic ar y palmant i osgoi'r car gan ddod o fewn dim i daro nifer o'r bobl oedd wedi sefyll i wylio. Gwasgarodd y rheini'n frawychus o'r neilltu gan roi ychydig mwy o le i Aled lywio'r beic yn ôl tua'r ffordd agored a rhoi sbardun o ryddid iddo.

'Maen nhw'n troi i ddod ar ein hola ni, Aled!'

'Wel dal dy afael 'ta!'

Rhuodd y peiriant yn nerthol a thrwynodd y beic ei ffordd ar hyd nifer o strydoedd prysur cyn darganfod y ffordd fawr a'r arwydd THESSALONIKI arni. Rywle o'u hôl gwyddent fod y Rwsiaid ar eu gwarthaf. Dau ohonynt. Roedd y car arall wedi aros a'i yrrwr, heb dynnu sylw neb, wedi dod allan ohono a cherdded yn hamddenol tua gorsaf y bysus unwaith eto. Am ryw reswm roedd yn ofalus iawn o'r bocs a gariai yn ei ddwylo.

Pennod 7

Er mor llydan braf y ffordd, yr adeg honno o'r dydd roedd hi'n dagfa o drafnidiaeth. Drwy'r tes a mwg taglyd yr holl geir deuai grŵn cyson peiriannau anniddig a hwtian cyrn diamynedd. Yma ac acw gellid clywed lleisiau blin yn poeri bustl a melltith ar y llifeiriant malwenaidd nes creu tyndra yn yr awyrgylch oedd bron mor weladwy â'r mwg afiach ei hun.

Diolch am y prysurdeb a wnâi Aled. Gallai ef wau y beic heibio a rhwng y ceir araf a rhoi mwy a mwy o bellter rhyngddynt a'u herlidwyr. Taflai Melina gip aml dros ysgwydd er mwyn cael sicrwydd o'u diogelwch.

'A be 'di hanas Tom, Dic a Harri erbyn hyn?' Ceisiai Aled guddio'r cynnwrf a deimlai.

'Dau ohonyn nhw sydd ar ein hola ni. Mi fedra i weld 'u car nhw—mae'n o bell i ffwrdd rwân. Wn i ddim be sy wedi digwydd i'r trydydd.'

'Pwy? Harri wyt ti'n feddwl? Bôi bach y mwstás a'r graith a'r gwn? Wel diolch ein bod ni wedi colli hwnnw beth bynnag! Mi fu jest i hwnnw roi rhesan wen yn 'y ngwallt i! Y mwnci mul iddo fo!'

Gwasgodd Melina ef yn gadarn o'r cefn fel pe mewn diolch mud am iddo gael ei arbed. 'Ond Aled,' meddai hi'n gryg, 'mi fydd gan y ddau arall 'ma ynnau hefyd mae'n siŵr.'

'Hy! Paid ti â phoeni dy ben tlws ynghylch Tom a Dic. Pan gawn ni ffordd agored mi fydd y beic wedi'u gadael nhw'n bell ar ôl.' Trawodd y tanc petrol â'i law agored yn union fel pe bai'n dangos anwyldeb at geffyl. Ond nid oedd ei ffug hyder yn twyllo Melina o gwbl. Fe wyddai hi'n iawn beth oedd natur y perygl oedd ar eu gwarthaf. Taflodd gip eto dros ysgwydd.

Da iddi wneud hynny. Erbyn hyn roeddynt wedi stopio'n gyfan gwbl yn ôl gorchymyn y golau coch. Dyma achos yr holl dagfa a thu draw iddo roedd y ffordd glir agored yn gwahodd. Chwiliodd Melina am y car du yng nghanol y ddwy res o foduron llonydd o'u hôl ac o'r diwedd daeth o hyd iddo a theimlo rhyddhad eto o sylwi ar y bwlch cynyddol rhyngddynt. Roedd ar fin sicrhau Aled eu bod yn ddiogel pan ddigwyddodd sylwi ar symudiad ymysg y ceir yn llawer nes ati, symudiad nad oedd yn medru ei ddeall yn iawn am rai eiliadau.

'Aled, dos! Brysia!'

Roedd y ddau Rwsiad wedi gadael eu car ac yn gwau'n gyflym a llechwraidd tuag atynt ar droed yn y gobaith o gyrraedd cyn i'r golau droi'n wyrdd. O glywed gorchymyn ofnus Melina trodd Aled ei ben yn chwilfrydig a llamodd ei galon wrth weld wynebau chwyslyd cyfarwydd Tom a Dic o fewn decllath iddynt.

'Cydia'n dynn!' gwaeddodd a llamodd y beic yn ei flaen fel ceffyl gwyllt yn chwilio am ryddid. Roedd calonnau'r ddau yn curo'n rhy swnllyd iddynt glywed y sŵn brecio ffyrnig a'r cyrn dicllon.

'Paid ag arafu, Aled! Maen nhw'n dwad ar ein hola ni!'

Dros ei hysgwydd gwelodd Melina y ddau Rwsiad yn tynnu gyrrwr yn ddiseremoni allan o'i gar a hawlio'r cerbyd.

Am y tro cyntaf cafodd y beic gyfle i chwyrnu go iawn. Roedd pen Melina'n dynn rhwng ysgwyddau Aled a'i ffrog ysgafn fel baneri o boptu iddi. Teimlai Aled yntau y gwynt yn pigo'i groen yn bleserus ac roedd ei wallt hir yn ddryswch aflonydd, yn mynnu mynd i'w lygaid a'i geg.

'Maen nhw'n dod, Aled! Maen nhw wedi dwyn car!'

Dringodd y nodwydd yn gyflym ar gloc cyflymdra'r beic nes bod ochrau'r ffordd yn ddim ond fflachiadau annelwig a char eu herlidwyr yn fychan yn y pellter o'u hôl. Roeddynt wedi cefnu ar Athen ac yn anelu am y wlad agored.

'Mi arhoswn ni ar y ffordd yma nes cawn ni roi digon o belltar rhyngom ni a nhw!' gwaeddodd Aled dros ei ysgwydd. 'Wedyn fe chwiliwn ni am le sâff i dreulio diwrnod neu ddau.'

Tynhaodd breichiau Melina am ei ganol i ddangos ei bod wedi deall.

Roedd y wlad y teithient drwyddi, fel gweddill Groeg mae'n wir, wedi llosgi'n goch. Yr unig wyrddni amlwg oedd y coedlannau olewydd yn ymestyn o fin y ffordd hyd y llechweddau crin ac esgus o weiriach a ystyrid yn borfa i'r geifr. Yma ac acw hefyd roedd gwinllannau taclus a'u grawnwin yn aeddfedu'n braf. Roedd y ffordd o'u blaen yn aflonydd yn y tes a'i gwynder yn dallu.

'Oes 'na sôn amdanyn nhw?'

Gwasgodd Melina ei breichiau'n dynnach am Aled wrth iddi droi ei phen yn betrus. Doedd hi ddim wedi arfer teithio ar feic mor gyflym.

'Na. Maen nhw'n rhy bell tu ôl.'

'Reit 'ta, dwi am adael y ffordd yma ar y cyfla cynta ga i.'

Cyn hir, tyfodd arwydd o'r pellter a gwelsant ffordd wledig yn arwain i'r dde. ANIXI meddai'r arwydd a derbyniodd Aled y gwahoddiad gan lywio'r beic yn fwy gofalus ar wyneb mwy anwastad a llychlyd.

Rhyw filltir a hanner y tu ôl iddynt teithiai car ar ei gyflymdra eithaf a throed y Rwsiad wrth ei lyw yn gwasgu'r sbardun i'r llawr. Craffai ef a'i gydymaith i'r pellter o'u blaen ac roedd eu rhwystredigaeth a'u dycnwch yn amlwg yn eu gwefusau tynn. Doedd dim gair o sgwrs rhyngddynt.

'Ivan!'

Â'i lygaid dilynodd y gyrrwr gyfeiriad y fraich a bwyntiai drwy'r ffenest agored a chanfod y cwmwl bychan o lwch coch ar ffordd gul y llechwedd draw. Llaciodd gewynnau ei wyneb a diflannodd peth o'r tyndra wrth iddo droi'r car oddi ar y ffordd fawr a chyfeirio tuag at ANIXI.

Stryd gul o bentref oedd Anixi, lle bach swrth a barnu oddi wrth y marweidd-dra oedd i'w deimlo yno. Eistedd-ai'r trigolion yn nrysau eu tai naill ai'n sgwrsio neu'n cysgu neu'n sipian gwin. Yr unig arwydd o fywiogrwydd a welai Aled oedd barbwr yn chwifio'i siswrn o gylch pen rhyw gwsmer llesg a eisteddai mewn cadair yn yr awyr agored.

'Be rŵan, Melina?'

O'u blaen safai eglwys y pentref a thrwy ei drws agored gellid canfod rhai o'i delwau a'i lampau pres yn llew-yrchu'n fud yn y gwyll o'i mewn. Safai'r addoldy mewn fforch yn y ffordd.

'Tro i'r chwith! Neu mi fyddwn ni'n mynd yn ôl i gyfeiriad Athen.'

Ufuddhaodd Aled yn ddigwestiwn a diflannodd y beic swnllyd rownd y tro o olwg y trigolion chwilfrydig, gan adael dim ond cynnwrf llychlyd o'i ôl.

Roedd y ffordd yn awr yn dringo'n serth ac wrth ddringo yn culhau ac yn mynd yn fwy tyllog. Ofnai Aled ei gweld yn diflannu'n gyfan gwbl, ond dal i droelli rhwng creigiau moel a wnâi wrth anelu am y coed pîn ar y llechweddau uwch a chwyrnu'r beic yn gwallgofi'r cricedau nes bod eu trydar yn cystadlu â'i sŵn.

'Mi fydd yn rhaid inni fynd yn ôl, Melina!' gwaeddodd. 'Dydi'r ffordd yma ddim yn arwain i unlle.'

'Na, mae'n iawn, Aled. Roedd 'na arwydd wrth yr eglwys yn Anixi yn deud bod posib mynd ffor'ma i Marathonas. Wyt ti wedi clywed am fan'no?'

Nodiodd Aled wrth led-gofio'r stori am y milwr a redodd yr holl filltiroedd i rybuddio'i bobl am ddyfodiad y gelyn.

Erbyn hyn caent gysgod y pinwydd rhag gwres llethol yr haul. Pwyntiodd Aled yn ymholgar at duniau neu gwpanau o ryw fath oedd yn hongian ar foncyffion llawer iawn o'r coed. Deallodd Melina ei gwestiwn mud.

'Dal sudd y goeden,' eglurodd yng nghlust Aled. 'Maen nhw'n torri rhisgl y goeden ac mae'r sudd yn rhedeg i lawr i'r cwpanau.'

'I be?'

'Retsina! I neud y gwin Retsina, siŵr iawn!'

Nodiodd Aled eto wrth gofio'r gwin melyn gyda'r blas od, y gwin gyda blas y pîn mor amlwg arno.

Dringodd y beic dros y brig ac allan o'r coed. O'u blaen yn awr roedd tua dwy filltir o dir gwastad a llyn anferth yn ei ganol wedi ei amgylchynu gan wyrddni deniadol. Am ganllath neu ragor rhedai'r ffordd gydag ymyl y dŵr. Arafodd y beic a stopio ar y lan.

Fe gafodd y ddau Rwsiad gryn drafferth cael synnwyr o drigolion Anixi. Bu'n rhaid gwneud pob math o stumiau a cheisio dynwared sŵn beic modur cyn y gwawriodd eu cwestiwn ar y barbwr. Erbyn hyn roedd ei gwsmer, unig un y bore, wedi mynd tua thre a llenwid y gadair bellach gan y perchennog ei hun. Ni thrafferthodd godi. Defnyddiodd flaen ei siswrn segur i bwyntio yn gyntaf at yr eglwys ac yna, gyda thro sydyn ar ei arddwrn arwyddodd y ffordd i'r chwith. A phan welodd y car yn ailgychwyn heb air o ddiolch am y wybodaeth daeth ffrwd o barabl melltithiol o'i enau.

Fel Aled o'u blaenau fe amheuodd Ivan a'i ffrind sawl gwaith yn ystod y daith beryglus i fyny'r llechwedd a oeddynt ar y trywydd iawn ai peidio. Teimlent yn sicrach ac yn sicrach fod y barbwr wedi eu camarwain yn fwriadol. Fwy nag unwaith ar y rhannau mwyaf serth fe ddechreuodd y car droi oddi tano, yr olwynion yn sgathru'r pridd a'r cerrig rhydd, a chydag ochenaid o ryddhad y codasant dros y crimp i olwg y tir gwastad a'r llyn.

Eisteddai Melina ar y lan yn trochi ei thraed noeth yn y dŵr tra cymerai Aled ofal i glymu'r parsel yn ddiogel ar gefn y beic. Gydol y daith o Athen, er pan fu'n rhaid cymryd y goes o'r caffi, bu'r parsel rhyngddynt ar y sêt yn cael ei wasgu'n ddiogel rhwng eu dau gorff.

'Dyna fo! Fydd dim rhaid iti boeni amdano fo rŵan.'

Ymunodd Aled â hi ar lan y llyn a chodi llond ei ddwylo o'r dŵr i'w yfed heb falio a oedd yn ddigon pur ai peidio. Cododd ragor wedyn dros ei ben a'i war a theimlo'i hun yn dadflino ac yn bywiogi. Ciciodd ei sandalau llac oddi ar ei draed ac ochneidio'n bleserus wrth deimlo llyfiad y dŵr o gylch ei fferau.

'Faint o'r gloch, Melina?'

'Deng munud i un ar ddeg. Rydan ni wedi teithio tua deg cilometr ar hugain faswn i'n meddwl.'

'Wyst ti be? Rydw i bron â llwgu. Rhyw ruthro brecwast wnaethon ni 'nte?'

Gwenodd Melina'n annwyl arno a gwasgu ei law. 'Paid â phoeni, Aled. Pan gyrhaeddwn ni Marathonas fe bryna i'r pryd gora o fwyd iti'i gael erioed.' Daeth crygni i'w llais a deigryn o ddiolch i'w llygaid. 'Mi fyddi di wedi'i haeddu fo.'

'Ac wedyn falla y cawn ni gyfla i gael gweld a chlwad be sy'n y parsal 'na! Mae'n rhaid 'i fod o'n bwysig neu . . .'

Tawodd ar ganol brawddeg wrth weld Melina yn neidio ar ei thraed a chraffu'n gynhyrfus ar y ffordd y daethant ar hyd-ddi. Clywodd Aled yntau y sŵn, sŵn peiriant car ar yr awel gynnes, sŵn fel sŵn gwenyn mewn poen.

Pan ddaeth i'r golwg nid oedd ond rhyw chwarter milltir i ffwrdd. Llifodd ton o ddiflastod ac anobaith drostynt o sylweddoli nad oeddynt wedi llwyddo i ffoi wedi'r cyfan.

'Tyrd! Brysia!' Palfalodd Aled am ei sandalau ond ni thrafferthodd Melina i wisgo'i rhai hi. Roedd hi'n eistedd ar y beic o flaen Aled, ei migyrnau'n wyn wrth iddi wasgu ei sandalau yn ei dwylo.

Rhyw ddau canllath i ffwrdd oedd y car erbyn hyn, yn cael ei sgrytian yn ddidrugaredd ar y ffordd arw. Lliw arian oedd arno a hwnnw'n llachar yn yr haul er gwaetha ei gôt o lwch. Yn yr eiliad o syllu arno rhyfeddodd Aled at ba mor arswydus y gallai rhywbeth mor gyffredin â char fod. Gyda'r haul ar ei wydr ni ellid gweld i mewn iddo ac roedd rhywbeth yn ddychrynllyd yn hynny hefyd. Y syniad o elyn dieflig, cudd.

Ni thaniodd peiriant y beic ar y gic gyntaf na'r ail, nes peri i'w hofn ymylu ar banig. Pan chwyrnellodd o'r diwedd roedd fel goleuni sydyn i ymlid ofnau'r nos. 'Diolch byth!' meddai Aled mewn sibrydiad cryg. 'Cydia'n dynn, Melina!' bloeddiodd. Yr eiliad nesaf clywsant chwiban bwled uwch eu pennau.

Er gwaetha'r perygl doedd wiw mynd yn rhy gyflym. Gallent gael eu hysgwyd yn ddidrugaredd a hwyrach eu taflu oddi ar y beic neu gallai'r olwynion yn hawdd sglefrio oddi tanynt a'u gadael yn ysglyfaeth diymadferth yn llwybr eu gelynion. Chwibanodd bwled arall yn anghyfforddus o agos.

Rywle o'u blaen roedd llechwedd y goriwaered a fyddai'n mynd â hwy i lawr i Marathonas. Pe caent gyrraedd y llechwedd hwnnw yna byddent am ryw hyd allan o olwg y Rwsiaid a'u gynnau. Poenus o araf fu'r daith a chlywsant yn y cyfamser ddwy fwled fygythiol arall i'w hatgoffa nad oedd eu hofn yn ddi-sail.

Daeth y crimp i'r golwg ymhen hir a hwyr ac roedd cysur o sylwi bod coedwig bîn drwchus ar y llechwedd hwn hefyd. Byddai'n gysgod iddynt ar y daith i lawr. Ond wrth i'r beic droi ei drwyn at i lawr daeth gwich o ofn o enau Melina a daliodd Aled ei wynt yn gynhyrfus. Roedd rhan uchaf y llechwedd yn llawer mwy serth na'r disgwyl a'r cerrig mân ar wyneb y ffordd yn ei gwneud yn rhy beryglus i'w mentro.

Edrychodd Aled yn wyllt o'i gwmpas. Ffolineb noeth fyddai ceisio mynd i lawr. Penderfynodd ar amrantiad. Ar ôl sicrhau eu bod allan o olwg y car trodd drwyn y beic am y coed ac yn araf a gofalus gyrrodd ef i mewn i'r gwyll gan wau ei ffordd rhwng y boncyffion. Roedd yno bwt o graig a gallodd lywio'r beic y tu ôl iddi, allan o olwg y ffordd. I'r dim y medrodd wneud hynny a rhoi taw ar y peiriant cyn i'r car arian ymddangos dros y crimp. O'r lle'r oeddynt yng nghysgod y greigan a thywyllwch y coed gwelsant ef yn aros, a gallent synhwyro ansicrwydd ac ofn y gyrrwr wrth syllu i lawr gallt mor beryglus o serth.

Rhaid bod trafodaeth frysiog wedi bod rhwng y ddau yn y car. Yn betrus o araf gwelodd Aled a Melina yr olwynion yn dechrau troi unwaith eto a thrwyn y car yn pwyntio mwy a mwy tuag i lawr. Fesul modfedd y symudai.

Rhoddodd Aled ei geg wrth glust Melina. 'Os ân nhw i lawr yn sâff mi gân nhw gythral o draffarth dwad i fyny'n ôl, felly y peth gora i ni fydd mynd yn ôl y ffordd y daethom ni—trwy Anixi.'

Cytunodd Melina â'i phen.

Tua hanner fordd i lawr y rhiw y collodd teiars y car eu gafael. Rhaid bod y cerrig mân wedi dechrau symud o dan y pwysau. Ni allent weld beth ddigwyddodd nesaf gan i'r car lithro o'u golwg ond clywsant y sŵn sgathru cynhyrfus a chyn hir glec gwrthdrawiad wrth i wydr falu a metel blygu.

Doedd dim amser i oedi. Taniodd y beic ar y gorchymyn cyntaf y tro hwn ac anelodd Aled ef am olau'r haul, yn ôl am y ffordd anwastad. O'r crimp syllodd y ddau i lawr ar weddillion myglyd y car oedd â'i ben mewn coeden.

'Mae'r ddau yn iawn, gwaetha'r modd,' meddai Aled yn chwerw wrth weld y drysau'n cael eu gwthio ar agor a'r ddau Rwsiad yn dringo allan. 'Ond sbia, mae un ohonyn nhw'n gloff—ac mae'r llall yn colli gwaed o'i ben! . . . Fyddan nhw ddim ar frys i ddwad ar ein hola ni rŵan!'

Wrth iddo sbarduno'r beic, tynnodd y sŵn sylw'r ddau a fu yn y ddamwain. Syllasant i fyny i'w cyfeiriad ond dim mwy na hynny. Ni thaniwyd gwn na dim. Roedd yr ysgytwad wedi gwanhau eu penderfyniad, dros dro. Methodd Aled ag ymatal rhag codi ei law yn herfeiddiol arnynt cyn diflannu o'u golwg.

Pennod 8

Pentref bychan ar lan Culfor Corinth oedd Paralia, ei res uwchben rhes o dai claerwyn yn syllu allan dros lesni'r dŵr. I lawr wrth y cei diog cysgai nifer o gychod lliwgar wrth angor a'r unig arwyddion o fywyd yng ngwres llethol y prynhawn oedd fflyd o blant croenfrown yn lluchio'u hunain yn swnllyd hapus oddi ar greigiau'r bae i'r môr clir. Ar hyd y cei safai rhes o fân siopau gydag ambell gaffi segur yn cuddio dan ganfas neu ymbarelau lliwgar. Roedd Paralia yn drwm yn ei siesta brynhawnol.

Camodd Aled yn ôl o'r ffenest i wyll braf ei ystafell yn y gwesty ac aeth i orwedd ar y gwely. Gwasgodd ei lygaid yn dynn mewn ymdrech i leddfu'r cur pen oedd wedi dod yn sgîl yr holl gyffro a thyndra. Mewn pedair awr ar hugain roedd wedi cael mwy o antur nag a gawsai gydol ei fywyd cyn hyn. Meddyliodd am y tri a fu'n eu herlid, eu hwynebau caled, dideimlad, eu llygaid oer a llym. Doedd ganddo ddim amheuaeth bellach y byddai unrhyw un ohonynt yn barod i ladd Melina ac yntau pe bai raid. A be oedd hanes y ddau yn y car erbyn hyn tybed? Mae'n siŵr iddyn nhw orfod cerdded milltiroedd lawer yng ngwres llethol canol dydd. Yn dal i gerdded efallai! Gwnaeth y syniad hwnnw iddo deimlo'n flin ag ef ei hun. Pe bai wedi meddwl ar y pryd gallasai Melina ac yntau fod wedi mynd yn syth yn ôl i Athen i Melina ddal awyren allan o'r wlad heb ofn i ddau o leiaf o'r tri Rwsiad fod ar eu trywydd. Fflamiodd dan ei wynt. Roedden nhw wedi colli cyfle.

Melina oedd wedi awgrymu dod yma i Paralia, lle bach diarffordd lle y caent dreulio deuddydd neu dri yn ddiogel cyn mentro'n ôl i'r brifddinas. Erbyn hynny, siawns y byddai eu herlidwyr wedi anobeithio ac wedi gadael. Ac er bod un rhan ohono'n gofidio colli'r cyfle i gael Melina allan o'r wlad, eto i gyd roedd llais arall o'i fewn yn diolch am y cyfnod ychwanegol yng nghwmni'r Roeges walltddu. Ac yntau'n gwybod erbyn hyn ei fod yn syrthio mewn cariad â hi, nid oedd yn awyddus i ollwng gafael arni ar chwarae bach.

Yr Hotel Paralia oedd unig westy'r pentref. Dyna a roddai iddo'r hawl i gymryd enw'r lle mae'n debyg. Gwesty bychan wyth llofft, pedair ar y llawr cyntaf, pedair ar yr ail gyda balconi i bob un. Roedd ystafell Aled yn union uwchben un Melina. Doedd dim sŵn symud i'w glywed oddi tano. Rhaid bod Melina hefyd yn cymryd siesta. Ni allai ef ei hun feddwl am gysgu fodd bynnag a chododd oddi ar y gwely a mynd i'r ystafell molchi i gymryd cawod oer. Fe fyddai honno'n deffro'i gorff o'i lesgedd.

'Aled? Wyt ti'n cysgu? . . . Ga i ddod i mewn?' Roedd hi wedi lled-agor y drws ac wedi gwthio ei phen i mewn i'r ystafell. Rhoddodd Aled y gorau i rwbio'i wallt â'r lliain a diolchodd ei fod o leiaf wedi cael cyfle i daro'i wisg nofio amdano cyn iddi ddod i mewn.

'O! Rwyt ti'n mynd i'r môr?' Roedd hi'n dal i wisgo'r ffrog felen ysgafn ddeniadol ond bod honno i bob golwg wedi cael ei golchi er pan welsai ef hi ddiwethaf. Doedd ganddi ddim byd arall i'w wisgo wrth gwrs, meddyliodd. Roedd gweddill ei dillad yn y cês yng ngorsaf fysus Athen.

Gwyliodd hi'n cerdded tuag ato ar draws yr ystafell a chyfareddwyd ef unwaith yn rhagor gan ei llygaid tywyll gwengar, gan gyfoeth ei gwallt gloywddu a chochni ei gwefusau lluniaidd. Gwelodd hi'n rhedeg ei thafod dros ei gwefus uchaf a brwydrodd yn erbyn yr ysfa i'w hawlio hi yn ei freichiau.

'Na, doeddwn i ddim wedi bwriadu mynd i'r môr. Does gen i ddim llawer o ddillad i ddewis ohonyn nhw ar y gora,' meddai gyda gwên, 'a'r trowsus nofio 'ma ydi'r peth brafia i'w wisgo'n y gwres 'ma.'

Gwenu'n unig wnaeth Melina a chymryd cam arall tuag ato. Daliodd ei llaw allan am y lliain. 'Rwyt ti'n rhy dal. Ista ar ochor y gwely imi gael sychu dy wallt.'

Ufuddhaodd Aled yn ddigwestiwn a theimlodd wefr o bleser wrth iddi rwbio'i ben. Yna'n sydyn plygodd tuag ato a tharo cusan ysgafn ar ei wefus. Cyffyrddiad yn unig, fel pe bai glöyn byw wedi glanio a chilio yn yr un eiliad. Estynnodd ei freichiau tuag ati ond gyda gwên ddireidus camodd yn ôl oddi wrtho.

'Na, bydd yn amyneddgar!' Roedd y chwerthin yn ei llais a'i llygaid. 'Tra wyt ti wedi bod yn diogi rydw i wedi bod yn brysur . . .' Gwelodd hi'n taflu cip tuag at y gadair oedd wrth droed y gwely ac am y tro cyntaf sylweddolodd Aled ei bod wedi dod â'r parsel i mewn gyda hi ac wedi ei daro ar y gadair tra oedd hi'n sychu ei wallt.

'O? A be fuost ti'n neud felly?'

'Mae 'na beiriant fideo yma yn y gwesty ac mae dyn y lle wedi addo y cawn ni ei ddefnyddio fo rŵan os liciwn ni. Yn 'i barlwr preifat o mae o, wrth gwrs, ond mae o'n fodlon inni gael defnyddio'r stafell a'r peiriant tra bydd ef ar ei siesta. Ar ben hynny mae o wedi addo cael benthyg recordydd tâp inni hefyd cyn nos.' Gwenai Melina'n fuddugoliaethus.

Gwenu wnaeth Aled hefyd. Gwyddai mai anodd fyddai i unrhyw ddyn cyffredin wrthod cymwynas i ferch mor ddeniadol.

Llawn cystal i Aled, ar ôl damwain y ddau Rwsiad, nad oedd wedi penderfynu mynd â Melina yn ôl i Athen ac i'r maes awyr. Eiliadau yn unig a gymerodd i'r ddau aelod o'r KGB ddadebru'n llwyr o effeithiau'r gwrthdrawiad ac i ddylanwad eu hymarfer trwyadl ei amlygu ei hun. Tra oedd Aled yn dal i chwifio'i law yn feiddgar arnynt wrth ffarwelio a diflannu o'u golwg, roedd Ivan yn prysur hel ei feddyliau at ei gilydd ac yn estyn ei law i boced-tîn ei drowsus. Tynnodd ohoni set radio-tonfedd-fer fechan soffistigedig ac roedd yn fuan yn traethu cyfarwyddiadau manwl i mewn iddi.

Y tu allan i swyddfa'r bysus yn Athen pwysai 'Harri' yn erbyn ei gar gan redeg ei fys yn fyfyriol dros y graith uwchben ei lygad dde a gwrando ar newyddion ei gyd-wladwr. Nid oedd dim ynghylch ei osgo a fyddai'n ennyn chwilfrydedd nac amheuaeth neb. I'r anghyfarwydd gellid tybio mai gyrrwr tacsi neu *chauffeur* i rywun o bwys ydoedd yn derbyn cyfarwyddiadau ei swydd. Yna'n ddifrys camodd i'r car, tanio'r peiriant a gyrru'n bwyllog am y ffordd a âi ag ef tuag at y maes awyr. Wedi'r cyfan, doedd dim llawer o bwrpas aros wrth swyddfa'r bysus bellach; roedd wedi gwneud ei drefniadau yn fan'no ac wedi talu'n anrhydeddus i ofalwr y swyddfa am ei gymwynas.

Yr eiliad honno, pe bai Aled wedi medru gweld y wên fileinig ar wyneb y dyn bach efo'r graith a'r mwstás, mi fyddai ei arswyd o 'Harri' wedi dyblu.

Gwibiai'r lluniau ar y sgrîn. Beth bynnag yr oedd Aled wedi disgwyl ei weld ar ffilm Jules doedd yn ddim o'i gymharu â'r hyn a welai yn awr. Yn y lle cyntaf, nid ffilm amaturaidd mohoni o gwbl. Roedd Jules yn amlwg wedi mynd ag offer addas iawn gydag ef i Afghanistan ac wedi cael pob cydweithrediad gan y cenedlaetholwyr i ymuno yn eu hymgyrchoedd *guerrilla* ac i ffilmio pob mathau o sefyllfaoedd na allai cynrychiolwyr swyddogol cwmni teledu obeithio bod yn dyst iddynt. Yno, yng ngwyll parlwr preifat yr Hotel Paralia daliai'r Cymro ei anadl mewn ymgais ofer i dawelu cyffro'i galon. Yr un pryd clywai Melina hithau yn tynnu'i hanadl yn swnllyd rhwng ei dannedd wrth i erchylltra ac arwyddocâd ambell olygfa adael eu heffaith arni. Un munud roeddynt yn rhan o fintai flinedig yn troedio llwybrau caregog, serth mynydd-oedd Hindu Kush ar ffin ddwyreiniol Afghanistan, y munud nesaf yn rhedeg trwy strydoedd cefn dinas Kabul ac yn syllu ar hyd barilau gynnau oedd yn poeri dial a marwolaeth ar filwyr Rwsia. Weithiau byddai'r camera'n canolbwyntio ar anghyfanedd-dra'r mynyddoedd sych di-groen, dro arall ar bwll o waed ffres ar wyneb ffordd neu balmant. Mewn un olygfa pwyntiai camera Jules dros ysgwydd un o'r gwrthryfelwyr wrth i hwnnw saethu tuag at ei elynion; yr eiliad nesaf daeth fflach ac aeth y camera'n feddw am ychydig. Clywodd Aled wich fain yn dod o enau Melina wrth iddi ddychmygu mai dyna ddiwedd ei gŵr ond yn fuan sefydlodd llun y camera drachefn a throi i ddangos corff y gŵr a laddwyd. Teimlodd Aled y cyfog yn codi wrth iddo syllu ar gorff nad oedd mwyach ond pentwr o lysnafedd coch a'r perfedd ynddo'n dal i symud fel peth byw; hanner y pen oedd ar ôl a Duw yn unig a allai ddweud ym mhle'r oedd y breichiau a'r coesau. Trwy'r ffieidd-dod oedd wedi cronni ynddo sylweddolodd Aled mai rhyw arf mwy dieflig na gwn cyffredin oedd wedi achosi'r fath ddifrod.

'Wyt ti'n iawn, Melina?'

Roedd hi wedi codi a mynd am y drws, y cyfog yn llenwi ei llwnc. Pwysodd yntau y botwm i atal y tâp a mynd ar ei hôl.

'Tyrd, mi awn ni i'r bar iti gael diod o rwbath i'th setlo.'

Roedd y drws o'r parlwr preifat yn arwain i'r bar. Roedd y lle'n wag ac aeth Aled i chwilio ymysg y poteli.

'Be gymeri di? Wisgi?'

'Nage . . . Fodca plîs.' Prin y gallai ei chlywed yn siarad. Bu bron iddo wamalu trwy ei hatgoffa mai fodca oedd diod fwyaf poblogaidd y Rwsiaid ond brathodd ei dafod mewn pryd. Nid dyma'r amser i wamalrwydd. Tywalltodd y ddiod iddi ac un arall iddo'i hun a gwyliodd hi'n ei sipian yn dawel.

'Wnawn ni ddim gwylio rhagor heddiw, Melina.'

'Na, mi fydda i'n iawn mewn dau funud.' Gostyngodd ei llais. 'Mi roddodd hyn'na dipyn o sioc imi.'

'Do—yn naturiol.' Llithrodd ei fraich yn dynn am ei chanol a safodd y ddau yn fud am ychydig yn syllu drwy'r ffenest ar dawelwch Bae Corinth nes teimlo bod yr hyn a welsent funudau ynghynt yn perthyn i ryw fyd arall afreal.

'Rydw i'n iawn rŵan. Mi awn ni'n ôl.'

'Os wyt ti'n siŵr . . . Wyst ti be, Melina, peth rhyfedd na fasa Jules wedi rhoi rhyw fath o sylwebaeth i gyd-fynd â'r ffilm 'na. Mae sŵn y saethu a'r lleisia a phetha felly i'w clwad yn glir ond dydi o ddim wedi trio rhoi sylwebaeth fel eglurhad o'r hyn y mae'r ffilm yn 'i ddangos. Mi wn i y basa hi wedi bod yn anodd iawn iddo fedru gneud hynny trwy'r ffilm ond mae'n rhyfadd gen i na fasa fo wedi trio weithia.'

'Mae pob dim felly ar y tapiau eraill dwi'n meddwl. Fe gawn ni glywed y rheini pan gaiff perchennog y lle 'ma fenthyg chwaraeydd casét inni.'

Erbyn hyn roeddynt yn ôl yng ngwyll y parlwr a phwysodd Aled y botwm ar y peiriant fideo. Munudau eto o saethu a ffrwydro a lladd mewn rhyw dref neu'i gilydd, Kabul mae'n debyg, ac yna newidiodd yr olygfa'n sydyn. Roedd y camera erbyn hyn wedi ei leoli'n uchel naill ai ar ben to rhyw adeilad go dal neu yn un o'i ffenestri uchaf. Syllai i lawr ar sgwâr y dref a channoedd o bobl yn gwau fel morgrug o'i gwmpas. Daeth lens gref y camera â'r olygfa'n nes a gellid gweld mai milwyr Rwsia oedd yn gorfodi'r trigolion i sefyll yn rhengoedd ufudd o amgylch y sgwâr. Cyn hir cawsant weld pam. Cynulleidfa dan orfod oedd hi. Teimlodd Aled law Melina yn cau am ei fraich wrth iddi sylweddoli eu bod ar fin gwylio dienyddiad. Roedd pum gŵr yn cael eu hebrwng i'r sgwâr, eu dwylo wedi eu clymu y tu ôl i'w cefnau. Closiodd y lens gref eto i ddangos eu bod eisoes wedi cael eu cam-drin yn ofnadwy. Prin y gallai tri ohonynt gerdded o gwbl ac nid oedd gan yr un o'r pump esgidiau am eu traed. Tlodaidd hefyd oedd eu gwisg. Y tu ôl i'r golofn drist rhuglai tanc anferth, yno'n arwydd o nerth y gormeswyr mae'n debyg. Cafodd Aled y teimlad rhyfedd ei fod yno y tu ôl i'r camera, yn rhan o'r olygfa, yn syllu i lawr ar yr anfadwaith oedd ar fin digwydd. Cydiodd arswyd y dorf yn ei galon yntau. Hyrddiwyd y ddau garcharor cyntaf yn erbyn wal a'u saethu'n ddiseremoni nes bod eu cyrff esgyrnog yn cael eu taflu'n greulon yn erbyn y meini gan rym y gawod fwledi. Yna daeth swyddog o'r Fyddin Goch i sefyll ar ganol y sgwâr a dechrau annerch y dorf yn union fel pe bai'n traethu gwers. Bu wrthi am funud neu ddau cyn camu'n ôl ac amneidio ar y milwyr oedd yn gwarchod y tri charcharor oedd ar ôl. Yn ddisymwth trawyd dau ohonynt yn giaidd i'r llawr nes eu bod yn gorwedd yno'n hanner-ymwybodol.

Tynnodd Aled ei wynt yn swnllyd drwy'i ddannedd wrth glywed rhu'r tanc yn cychwyn, teimlodd ewinedd Melina yn brathu i'w fraich noeth a chododd ochenaid leddf, hunllefus o'r dyrfa yn y sgwâr. Yn araf ond yn sicr rowliodd yr anghenfil metel yn nes ac yn nes at y ddau gorff gwinglyd. Gofalai'r milwyr o boptu nad oedd modd iddynt ddianc o'r ffordd. Ni chlywodd Aled erioed o'r blaen sgrechiadau fel y rhai a gododd o'r sgwâr yn ystod yr eiliadau hynny na'r fath dawelwch ag a'u dilynodd. Roedd y dyrfa'n gwbl syfrdan a mud. Cuddiai Melina ei hwyneb yn ei dwylo. Yna roedd y swyddog yn ôl ar ganol y sgwâr yn pregethu eto wrth ei gynulleidfa ac yn troi'n awgrymog o bryd i'w gilydd i syllu ar y carcharor olaf. O'r diwedd rhoddodd orchymyn fel cyfarthiad i'w filwyr a dechreuodd y rheini wacáu rhan o'r sgwâr. Am eiliad fe ellid tybio bod y gynulleidfa'n cael ei gyrru oddi yno a bod tosturi wedi ei ddangos tuag at yr olaf o'r pump ond nid dyna'r bwriad o gwbl. Corlannwyd y dyrfa i gyd yn dynn i un gornel o'r sgwâr nes eu bod yn gorlifo i'r stryd a arweiniai oddi yno, yna aed â'r carcharor i gornel gyferbyn a rhwymwyd ei draed hefyd fel na allai symud o'r fan lle'r oedd. Yn boenus o araf clymwyd mwgwd dros ei lygaid nes peri argraff mai cael ei saethu fyddai tynged hwn fel y ddau gyntaf. Wrth i lens camera Jules wneud ei gwaith daeth corffilyn y carcharor i lenwi'r sgrîn, ei ddycnwch a'i ddewrder yn amlwg yn ei ymarweddiad. Gydag arswyd pur y sylweddolodd beth fyddai'r erchylltra olaf. Nid oedd Melina yn gwylio o gwbl. Camodd y swyddog ei hun ymlaen y tro hwn a rhoi cylch o linyn llac am wddf y carcharor. Yn hongian wrth y llinyn roedd grenâd. Gydag un symudiad cyflym tynnodd y swyddog y pin ohoni a diflannu o'r llun. Bron cyn gynted roedd lens y camera unwaith eto'n dangos y sgwâr i gyd a'r un ffigwr bychan truenus yn aros ei ddiwedd mewn cornel unig ohono. Tynnodd Aled Melina i'w gesail i geisio cau'r eiliadau nesaf o'i bywyd. Roedd hi'n crynu drosti fel cwningen ofnus. Llusgodd yr eiliadau heibio a chynyddodd y tyndra yng nghorff Aled nes ei fod yn methu teimlo'r ferch yn ei freichiau. Yna daeth y ffrwydrad, un byr, llai nerthol na'r disgwyl, wedyn eiliad o ddistawrwydd cyn i'r dorf ddechrau sgrechian yn orffwyll. Gyda'i gamera roedd Jules unwaith eto wedi llwyddo i gofnodi ffieidd-dra'r foment. Erbyn hyn roedd ei lens yn manylu ar rengoedd blaen y dorf, a sylwodd Aled am y tro cyntaf mai merched a phlant a henwyr oedd yno'n bennaf. Gwelodd eu hwynebau gwelw ofnus a'u sgrechfeydd yn amlwg yn eu safnau agored. Yr argraff gyntaf a gafodd oedd ei bod wedi dechrau glawio arnynt ond sylweddolodd yn fuan mai coch oedd y dafnau a bod darnau o gnawd hefyd yn rhan o'r gawod.

'Tyrd, Melina, fe gawn weld gweddill y ffilm eto. Fedra i ddim stumogi rhagor heddiw.'

Pennod 9

Mewn gwesty o fewn golwg i faes awyr Athen eisteddai dau o'r Rwsiaid mewn sgwrs ddwys a thawel, y naill yn anghyfforddus iawn yr olwg gyda'i goes chwith yn syth allan o'i flaen fel petai'n methu ei phlygu, a'r llall â'i law o dan ei ben yn anymwybodol geisio celu'r clwyf a'r lwmp ar ei dalcen a'r düwch o gylch ei lygad dde. Er i'w cyfaill drefnu dros y ffôn i dacsi o Marathonas ddod i chwilio amdanynt a'u cludo'n ôl i Athen, eto i gyd roedd bron yn hanner awr wedi tri y pnawn arnynt yn cyrraedd y brifddinas ac erbyn hyn roedd hi wedi pump o'r gloch. Cawsent gyfle i drin eu clwyfau ac i newid eu dillad llychlyd.

Trafod roedden nhw'n awr pa un ohonynt a ddylai fynd i gymryd lle eu ffrind—y bychan tywyll gyda'r graith a'r mwstás—oedd yn dal i gadw golwg yn y maes awyr. Roeddynt yn gytûn, gan iddyn nhw golli golwg ar Melina Morisset a'r hipi hirwallt oedd yn ei helpu hi, y byddai'n rhaid gwylio'r maes awyr bob awr o'r dydd o hyn ymlaen. Pe llwyddai'r ferch neu ei ffrind i gael y ffilm allan o'r wlad, arnyn nhw eu tri y byddai dial swyddogion y KGB yn syrthio ac fe wyddent o brofiad beth allai hynny ei olygu.

Gyda'r gwyll ac awel yr hwyr roedd pentref bychan Paralia wedi bywiogi trwyddo a phrin y gellid cysylltu'r prysurdeb annisgwyl hwn â llesgedd a marweidd-dra'r prynhawn. Roedd fel pe bai rhywun wedi torri trwy nyth morgrug; twmpath llonydd disylw un funud, bwrlwm o ddiwydrwydd cyffrous yr eiliad nesaf. Goleuid pob caffi â lampau crog lliwgar a chludai'r awel gymysgedd hyfryd o alawon y *bouzouki* ac arogleuon cig rhost y kebab a'r *souvlaki* i glustiau ac i ffroenau'r twristiaid awyddus. Yn gyplau cariadus neu'n deuluoedd stwrllyd arafai'r rheini i ddarllen beth oedd gan pob bwyty yn ei dro i'w gynnig. Chwilio'r oeddynt, yn ddieithriad, am y profiad newydd, am yr ecsotig. A thrwy'r cyfan ymlwybrai ambell hen wreigen yn llafurus dan hafflaid o fara aroglus, ffres neu lond bag o nwyddau a'i gwisg ddu o'i chorun i'w sawdl yn destun rhyfeddod i bob twrist chwyslyd.

Eisteddai Aled a Melina yn y cysgodion, eu platiau bellach yn wag. Am y tro cyntaf ers dyddiau lawer fe deimlai Aled yn lân ac yn daclus. Cyn cychwyn allan roedd wedi tynnu crys du a throwsus glas ysgafn o'i fag ac wedi gwneud ei orau i gael y crychni ohonynt. Yna roedd wedi cymryd cawod gynnes braf a golchi ei wallt 'run pryd. Gorweddai hwnnw'n awr yn rhydd ac yn ddisglair dros goler ei grys, yn ffrâm i'w wyneb brown golygus.

Rhannodd Melina weddill y gwin rhyngddynt a bu'r ddau yn ei sipian yn dawel am rai munudau gan wylio'r prysurdeb o'u cwmpas. Ofnent weld wyneb cyfarwydd yn ymddangos. Hyd yn oed yma ni allent deimlo'n ddiogel oddi wrth eu herlidwyr.

'Mi garwn i weld gweddill y ffilm fory, Melina, er mor uffernol ydi hi—ond does dim rhaid i ti ei gwylio hi. Wedi'r cwbwl, mae rhai o'r petha a welodd Jules yn ddigon i neud unrhyw un yn sâl.'

'Na, mi fydda i'n iawn, Aled. Rydw i isio gweld pob dim. Mae'n rhaid imi wybod be sy yn y ffilm ac ar y tapia cyn cysylltu efo'r golygydd papur newydd 'na ym Mharis y rhoddodd Jules 'i enw fo imi. Mae'n gas gen i orfod defnyddio'r fath dystiolaeth ofnadwy i fargeinio am bres, ond dyna ydi dymuniad Jules. Wedi'r cyfan, dyna pam yr aeth o allan i Afghanistan yn y lle cynta . . .' Doedd dim llawer o argyhoeddiad yn ei llais, fodd bynnag. Roedd yr hyn a welsai ar y ffilm wedi bod yn gryn ysgytwad iddi a gallai Aled weld oddi wrth ei heuogrwydd mud a'r ffordd nerfus roedd hi'n plethu bysedd ei dwylo ar y bwrdd o'i blaen bod meddwl am ddefnyddio'r deunydd er ei budd ei hun yn atgas ac yn wrthun yn ei golwg. Cymerodd ei dwylo yn ei ddwylo'i hun a'u gwasgu.

'Wrth gwrs mi fydd rhaid iti fargeinio. Does dim rhaid iti deimlo'n euog am hynny.' Rhoddodd ei law yn dyner o dan ei gên a chodi ei hwyneb fel ei bod yn edrych i fyw ei lygaid. Yn eu dagrau roedd ei llygaid hi fel dau bwll gloywddu. 'Wedi'r cyfan, dyma'r ffordd orau i dynnu sylw'r byd at yr hyn sy'n digwydd yn Afghanistan. Pe bai llywodraeth America neu Brydain yn cael gafael ar y ffilm, yna fasa hi'n ddim byd mwy na phropaganda yn eu dwylo nhw ac mi fasa pawb arall wedyn yn 'i hamau hi. Dyna oedd Jules yn wbod. Ond os daw y cwbwl allan fel sgŵp mewn papur newydd yna mi fydd pawb yn cymryd sylw ac mi eith yr hanas fel tân gwyllt drwy'r byd i gyd. Roedd Jules yn iawn, coelia fi. Dyma'r ffordd i greu mwya o embaras i Rwsia ac i helpu achos pobol Afghanistan.'

Daeth cysgod o wên ddiolchgar i'w llygaid gloyw.

'Tyrd, fe awn ni am dro ar hyd y cei.' Gwthiodd Melina arian i law Aled iddo dalu am y bwyd, yna cododd y ddau a gadael y rhes bwytai a'u miri lleisiau o'u hôl. Erbyn hyn roedd yr awyr wedi tywyllu digon i'r sêr ymddangos a gellid eu canfod yn sbecian ar wyneb y bae a'r môr dilanw. Llithrodd Melina ei braich trwy fraich Aled wrth iddynt ymlwybro'n ddi-frys ar hyd ymyl y cei a heibio i'r cychod lliwgar a gysgai wrth angor. Wrth gerdded, âi ei phen i bwyso mwy a mwy ar ei ysgwydd nes bod persawr ei gwallt yn ei feddwi.

'Wyt ti'n meddwl bod y ffilm yn un mor bwysig â hynny, Aled?' Roedd ei llais yn freuddwydiol a phell.

'Beth bynnag arall sydd ynddi, mae'r hyn 'dan ni wedi'i weld yn barod yn siŵr o greu cryn stŵr, coelia fi—a chei di ddim gwaith 'i gwerthu hi. Mi fydd unrhyw bapur newydd neu gwmni teledu yn barod i dalu miloedd am hon'na.'

Buont yn cerdded mewn distawrwydd wedyn nes gadael y cei a'r adeiladau o'u hôl a dilyn llwybr oedd yn dringo ac yn cylchu'n ôl ar y llechwedd uwchben y rhesi tai. Cyn hir, yn llewyrch lleuad ddisglair, roeddynt yn syllu i lawr ar bentref bywiog Paralia ac ar lampau amryliw pob caffi yn cael eu hadlewyrchu ar ddüwch dŵr yr harbwr bach. Roedd yr awel yn drom o arogleuon llysiau persawrus wrth i Aled arafu'i gam a'i thynnu hi ato i'w chusanu. Nid oedd hithau'n brin o ymateb i'w gusan.

Sŵn troed ar y llwybr a'u gwahanodd. Llamodd calon y ddau wrth weld ffurf mawr tywyll yn nesu ac wrth iddynt yn reddfol ofni mai un o'r Rwsiaid oedd wedi eu dilyn. Roedd yn rhy hwyr i feddwl dianc a thynhaodd gewynnau Aled wrth iddo baratoi i'w amddiffyn ei hun. Heibio fel cysgod yr aeth y gŵr, fodd bynnag, ac wedi ochenaid o ryddhad dechreuodd y ddau chwerthin mewn gollyngdod.

'Allan am dro ar ôl swpar oedd ynta hefyd. Mae'n siŵr iddo ynta gael tipyn o fraw.' Ond roedd yr hud wedi ei dorri ac aethant ymlaen ar y llwybr nes cyrraedd grisiau serth a âi ar eu pen i lawr i'r pentref. Wrth ddisgyn hyd-ddynt syllent ar doeau y rhesi tai gwyngalchog ac yn eu mysg do mwy sylweddol yr Hotel Paralia.

'Pryd ddaru ti sylweddoli bod y tri dyn 'na ar dy ôl di, Melina?'

'Pan oeddwn i ar y bws i Athen, am wn i. Roedden nhw wedi cyrraedd Stamata rai dyddia cyn hynny. Mewn pentre mor fach â Stamata mae pob dyn dieithr yn destun sylw a chwilfrydedd. Ti'n gweld, Aled, dydi rhyw le bach fel'na ddim yn denu twristiaid o gwbwl a dyna pam roedd pawb yn y pentre'n methu deall beth oedd y tri ohonyn nhw isio. Dwi'n gwybod rŵan mai cadw golwg arna i oedden nhw. Roedden nhw'n gwybod bod y parsel ar 'i ffordd i mi, mae'n debyg.'

'Mae'n siŵr. Ar ôl i Jules gael 'i ddal mi allai fod wedi cymryd wythnosa i'r parsal gael 'i smyglo allan o Afghan-istan a Duw a ŵyr pa mor hir fydda fo wedi'i gymryd i ddod efo'r post o Bakistan i ti. Peth digon hawdd i'r KGB oedd trefnu i'r tri 'na gyrraedd Stamata o flaen y parsal.'

'Ia—ac mae'n siŵr eu bod nhw wedi bod yn gwylio'r post yn cyrraedd. A phan welson nhw fi'n dal y bws o Stamata am Athen efo'r parsel o dan fy mraich a chês yn fy llaw, yna roedden nhw'n weddol sicr mai dyna'r parsel roedden nhw wedi bod yn disgwyl amdano.'

'Be ddigwyddodd wedyn?'

'Mi sylwais i fod y tri yn fy ngwylio wrth imi fynd ar y bws. Erbyn hynny, wrth gwrs, roeddwn i wedi cael cyfle i agor y parsel a gweld beth oedd ynddo fo, felly roeddwn i'n amheus ohonyn nhw. Fe driodd un, yn rhy hwyr, neidio ar y bws cyn i hwnnw gychwyn a'r holl ffordd o Stamata i Athen mi fuon nhw'n dilyn yn eu car.'

'Be wedyn?' Roedd Aled wedi aros hanner ffordd i lawr y grisiau i gael clywed diwedd stori Melina.

'Wrth fynd i mewn i Athen mi gafodd eu car nhw ei ddal yn ôl ychydig yn y traffig. Mi roddodd hynny ddigon o gyfle imi neidio oddi ar y bws a mynd i mewn i swyddfa'r bysus cyn iddyn nhw 'ngweld i. Mi ddaru mi adael y cês yn fan'no, fedrwn i byth 'i gario fo efo fi a thrio dianc rhagddyn nhw. Ddaru mi ddim meddwl tynnu 'mhasport ohono fo. Tra oeddwn i'n cuddio yn fan'no mi allwn i eu gweld nhw'n chwilio amdana i o gwmpas y sgwâr a phan ges i gyfle mi redais allan i dacsi oedd yn digwydd bod yn ymyl. Mi welson nhw fi, fodd bynnag, a dilyn y tacsi. Roeddwn i'n meddwl mai'r gobaith gora oedd gen i o ddianc oddi wrthyn nhw oedd trwy fynd i ardal y Placa a cheisio'u colli nhw yn y strydoedd cul yn fan'no. Mi wyddost ti'r gweddill.'

'Gwn, a siawns ein bod ni wedi'u colli nhw am byth rŵan. Tyrd, fe awn ni'n ôl i'r gwesty. Wyt ti'n meddwl y bydd dyn y lle wedi cael gafael ar recordydd casét inni?'

Ond doedd dim un yn eu haros. Addawai'r rheolwr yn ddi-ffael, fodd bynnag, y byddai wedi cael benthyg un drannoeth ryw ben.

'Gymeri di ddiod cyn noswylio?'

Gan nad oedd neb arall yn yfed yn yr ystafell, tynnodd

Aled ddwy gadair gyfforddus draw at y ffenest agored a suddodd y ddau ohonynt yn ddiolchgar i'w hesmwythdra. Y rheolwr ei hun oedd yn gweithio y tu ôl i'r bar a daeth â dau wydryn o gwrw lager draw iddynt.

'Iechyd da! Gyda lwc, welwn ni mo Tom, Dic na Harri byth eto!'

Pennod 10

Am wyth o'r gloch fore trannoeth roedd Harri, dyn bach milain y graith a'r mwstás, yn ôl yn y maes awyr yn cadw gwyliadwriaeth. Roedd wedi bod yno tan wyth y noson cynt pan gymerwyd ei le gan Ivan, ei gyfaill cloff o'r ddamwain. Daethent ill tri i'r penderfyniad mai gwell oedd ganddynt fod ar ddyletswydd am gyfnod sylweddol fel'na fel y caent wedyn ddigon o amser i orffwyso yn eu gwesty cyfagos cyn ailgydio yn eu gwaith. Wedi'r cyfan, efallai y byddai'n rhaid iddyn nhw fod yno am ddyddiau lawer cyn i Melina Morisset ymddangos.

Er pnawn ddoe roedd 'Harri' wedi sicrhau sedd gyfforddus ym mhrif lolfa'r maes awyr ac wedi ei gosod mewn lle delfrydol i wylio'r rhes hir o fân gownteri lle byddai teithwyr yn hawlio'u ticedi. Teimlai'n ffyddiog na allai'r ferch na'i ffrind hirwallt adael Athen heb iddo ef eu gweld. Os oedd yn rhoi'r argraff allanol ei fod yn ddwfn mewn papur newydd neu lyfr, neu'n slwmbran cysgu yn ei sedd, eto i gyd doedd ei lygaid chwim disgybledig yn colli neb na dim. A phan ddaeth Ivan yno am wyth o'r gloch i gymryd ei le fel y trefnasid fe gafodd yntau y sedd ac fe wnaeth yntau ei waith yr un mor drwyadl ddi-ildio. Felly hefyd y trydydd, o ddau o'r gloch y bore tan wyth. A phob tro y byddid yn newid byddai teclyn bychan du yn cael ei drosglwyddo'n gyfrinachol i ddwylo'r gwyliwr newydd.

★ ★ ★

Wedi bore o orweddian ar y traeth ac ymdrochi yn y môr clir fe deimlai Aled yn swrth iawn ac yn syth ar ôl cinio cynnar gwnaeth esgus i ymneilltuo i'w ystafell. Yno, roedd hi'n gysgodol braf ac oerni'r gwyll, wedi iddo gau'r llenni, yn falm i'w gorff.

Gorweddodd ar y gwely gan fwriadu ystyried ei sefyllfa. Fe ddylsai fod gartref ym Mangor erbyn hyn. Beth fyddai pryderon ei dad? Ond roedd meddwl am broblemau felly yn ormod o fwrn a'i amrannau yn mynnu cau allan bob goleuni. Suddodd yn raddol i drwmgwsg bendithiol, difreuddwyd.

'Wyt tithau'n cymryd siesta hefyd?' Eisteddai Melina ar erchwyn ei wely yn cosi ei glust â'i thafod cyn rhoddi brathiad bach chwareus a thynnu'n ôl.

Cododd Aled ar ei eistedd i syllu'n edmygus arni. Roedd ei dannedd yn disgleirio yn ei gwên, a'i gwallt, wedi iddi olchi helltni'r môr ohono, yn disgyn yn gudynnau llaith ar ei hysgwyddau nes gwlychu strapiau'r ffrog felen.

'Tyrd, y diogyn, os wyt ti am weld gweddill y ffilm 'ma—ac os wyt ti am wrando ar y tapiau.' Wrth siarad, roedd hi wedi codi ei llaw chwith yn gyntaf i ddangos casét fideo'r ffilm ac yna, yn fuddugoliaethus, ei llaw dde i ddangos recordydd casét bychan y gellid chwarae'r tapiau arno. 'Tyrd o 'na! Mae hi bron yn dri o'r gloch ac mae dyn y lle wedi mynd am 'i siesta ac wedi gadael y stafell deledu yn wag inni.'

Trawodd Aled grys llac amdano dros ei drowsus byr, gwthiodd ei draed i'w sandalau a dilynodd Melina i lawr y grisiau ac i'r parlwr y tu cefn i'r bar.

Cawsant eu hatgoffa'n syth o'r erchylltra y buont yn ei wylio ddoe. Roedd y camera'n dal i syllu i lawr ar y sgwâr, yn dangos milwyr Rwsia yn gorfodi nifer o'r gwragedd ofnus a fu'n dystion i'r lladd i glirio'r cyrff darniog, gwaedlyd oddi yno. Yna, yn gwbl annisgwyl, newidiodd yr olygfa. Roedd y camera fel petai'n sbecian i mewn i ystafell heb yn wybod i'r dynion oedd ynddi. Eisteddai'r rheini o gwmpas bwrdd simsan, chwech ohonynt i gyd, pedwar o Afghaniaid garw yr olwg, pob un â gwn wrth strap ar ei ysgwydd, a dau ddyn arall tra gwahanol i'r lleill. Nid Afghaniaid oedden nhw yn reit siŵr ac nid Rwsiaid chwaith yn ôl eu golwg.

Roedd yn amlwg mai yn y ddau hyn yr oedd diddordeb Jules oherwydd bu llun ei gamera yn bur aflonydd ac ansefydlog wedyn am sbel cyn llwyddo i roi golwg glir o'u hwynebau. Dynion croenwyn oeddynt, canol oed, wyneb y naill yn doeslyd, dew, anghynnes ond ei lygaid yn fain ac oer a chreulon, wyneb y llall yn hir ac esgyrnog a'r pantiau duon o gylch ei lygaid yn rhoi golwg gystuddiol iddo. Nid oedd gan y tewaf flewyn o wallt ar ei ben. Ef oedd yn gwneud y rhan fwyaf o'r siarad ac yn rhoi llawer o gyfarwyddiadau gyda'i ddwylo gan droi'n aml at fap agored ar y bwrdd o'i flaen. Fodd bynnag, gan mai sbecian trwy ddrws cilagored a wnâi'r camera, ni allai'r meic oedd arno wneud ei waith yn effeithiol. O ganlyniad, aneglur ac annealladwy oedd y siarad a methodd Aled gael achlust o natur y sgwrs. Roedd un peth yn gwbl amlwg serch hynny, sef bod y ddau ddieithryn yn ddynion pwysig iawn yng ngolwg yr Afghaniaid yn yr ystafell.

Pan gododd yr un tew, penfoel roedd y cyfarfod ar ben. Caed yr argraff fod camera Jules wedi cael ei dynnu'n ôl yn sydyn rhag i neb ei weld a'r eiliad nesaf ymddangosodd golygfa wahanol ar y sgrîn.

Protest hyglyw oedd hon. Cannoedd ar gannoedd o werin bobl yn lleisio'n groch eu gwrthwynebiad i gwmni neu gatrawd o filwyr Sofietaidd oedd yn ymdeithio i lawr stryd lydan, protest drist o aneffeithiol yn erbyn gormeswyr eu gwlad. Yn dilyn y milwyr troed deuai dwndwr nifer o danciau trymion ac yn sydyn rhuthrodd nifer o lanciau a merched ifainc ymlaen a gorwedd yn eu llwybr. Gwichiodd Melina mewn arswyd wrth sylweddoli nad oedd eu dewrder yn mynd i arafu dim ar yr angenfilod haearn. Rhwygwyd y stryd a pharlwr y gwesty gan sgrechfeydd yr arwyr ifainc. Gwasgwyd o leiaf bedwar ohonynt i farwolaeth erchyll cyn i'r lleill lwyddo i grafangu o ffordd y tanciau. Roedd Melina yn igian wylo erbyn hyn a cheisiai Aled yn ofer ei chysuro.

Golygfa o eglwys fechan neu deml o ryw fath ddaeth nesaf. Roedd hi wedi ei chodi ar ganol stryd lydan ac edrychai fel ynys noddfa yng nghanol yr holl ddinistr. Nid oedd Jules wedi medru mentro'n rhy agos efo'i gamera y tro hwn ond gellid yn hawdd weld pob dim oedd yn digwydd. Roedd drysau'r eglwys ar agor a'r tu allan safai nifer dda o filwyr gyda'u swyddog. O'u cwmpas cynyddai torf o bobl chwilfrydig. Cyn hir llusgwyd yr offeiriad allan gerfydd ei freichiau a'i osod i sefyll yn erbyn y wal. Nesaodd y swyddog ato a gellid ei weld yn traethu'n ddig gan godi ei ddwrn yn wyneb yr offeiriad cyn troi i annerch y dorf yn yr un modd. Yna rhoddodd orchymyn i'w filwyr a gwelwyd un o'r rheini yn cipio plentyn bychan o freichiau'i fam ac yn mynd ag ef i'r swyddog tra crafangai'r wraig orffwyll ar ei ôl. Traethodd y swyddog drachefn, fel pe bai'n rhoi rhybudd terfynol i'r offeiriad ac i bawb a'i clywai. Gwelwyd gynnau'r milwyr yn cael eu hanelu tua'r awyr ac yna gyda symudiad cyflym lluchiwyd y plentyn yn uchel. Roedd yn sypyn marw cyn dechrau syrthio'n ôl.

'Pam?' gofynnodd Melina yn floesg trwy'i dagrau.

'Gwers. Mae'n rhaid bod yr offeiriad neu rywun wedi tramgwyddo.'

'Ond pam y babi? . . . Pam?'

'Fedri di feddwl am ffordd fwy dieflig—ac effeithiol—o dalu'n ôl ac o ddysgu gwers? Yn enwedig i offeiriad . . . Dychmyga sut oedd hwnnw'n teimlo wedyn—os mai dial arno fo'r oedden nhw trwy ladd y plentyn. Dyna fo eto!'

Trodd Melina'n reddfol i syllu ar y sgrîn unwaith eto. Golygfa fynyddig yn dangos nifer o wrthryfelwyr arfog a'r dyn wyneb toes a'r pen moel yn eu plith. Roedd yn eu harwain tuag at lori a go brin ei fod yn ymwybodol fod camera Jules yn ei ffilmio. Ar ôl chwifio breichiau a thaflu gorchmynion dechreuwyd dadlwytho'r lori—arfau o bob math, gynnau a bomiau llaw a rhai llawer mwy soffistigedig na hynny i danio rocedi a thaflegrau bychain.

'Mae petha fel'na'n costio ffortiwn. Sut mae'r Afghaniaid yn medru'u fforddio nhw? Ac o ble maen nhw'n 'u cael nhw?'

'Jules! Jules ydi hwn'na!' Roedd Melina wedi neidio ar ei thraed wrth i'r olygfa newid a dangos ei gŵr mewn sgwrs gyda'r dyn penfoel. 'Mae o'n fyw felly,' ychwanegodd yn gyffrous. Ond sylweddolodd ffolineb ei gobaith a suddo'n siomedig i'w sedd.

Synhwyrodd Aled ei siom. 'Rhaid iti beidio anobeithio. . . . Rhaid iti drio cadw meddwl agored.' Gwyddai Aled nad oedd wedi medru rhoi digon o argyhoeddiad yn ei lais, yn bennaf oherwydd ei gariad hunanol tuag ati. Wedi'r cyfan, roedd medru credu bod Jules wedi mynd yn gadael drws agored iddo ef cyn belled ag yr oedd Melina yn y cwestiwn. 'Mae'n rhaid ei fod o wedi gofyn i un o'r Afghaniaid ffilmio'r sgwrs yma ac nad ydi'r bôi tew 'na yn gwbod dim am y peth. . . .' Eisteddai Jules ac yntau wrth fwrdd yn yr awyr agored a mynyddoedd yr Hindu Kush yn gefndir godidog iddynt. Gellid tybio bod y camera a'r dyn oedd y tu ôl iddo ynghudd ar y llechwedd uwchben y ddau. Roedd Jules wedi'i wisgo'n debyg i'r gwrthryfelwyr a theimlodd Aled bang o genfigen wrth sylwi mor olygus ydoedd.

Golygfa fer a chythryblus oedd un olaf y ffilm. Milwyr y Fyddin Goch yn ymosod ar wersyll yr Afghaniaid mewn bwlch uchel yn yr Hindu Kush. Gellid eu gweld wrth y cannoedd yn dod o lech i lwyn i fyny'r bwlch, eu gynnau yn clebran ac yn fflachio'n barhaus a'u magnelau'n ffrwydro weithiau'n anghyfforddus o agos i'r camera. Dechreuodd y camera ysgwyd wrth i Jules ffilmio'r Afghaniaid yn cilio rhag eu gelynion ac wrth iddo yntau eu dilyn. Yna aeth y sgrîn yn dywyll.

Roedd y distawrwydd yn yr ystafell yn llethol. I bob golwg roeddynt wedi bod yn dystion i funudau olaf Jules o ryddid.

'Yn fan'na y cafodd ei ddal felly,' meddai Melina o'r diwedd, ei llais yn floesg a myfyriol.

'Nid yn hollol. Mae'n rhaid 'i fod o wedi llwyddo i ddengid o fan'na neu fasa'r ffilm ddim ar gael inni rŵan.'

A chymerodd Melina beth cysur o hynny.

Cwestiwn dyn y cychod a'u harweiniodd o'r diwedd i benderfyniad. Roeddynt wedi mynd ato ar y cei i logi cwch am ryw awr o'r min nos. 'Ar wyliau? Tan pryd ydych chi'n aros yn Paralia?' Ac ar ôl i Melina gyfieithu'r cwestiwn i Aled ac iddynt rwyfo allan i'r bae, cydiodd Aled yn ddwys yn ei llaw a syllu i'w llygaid.

'Mi fydd yn rhaid inni benderfynu wyst ti. Fedrwn ni ddim aros yma lawar mwy.'

'Beth wyt ti'n awgrymu felly?'

'Mynd am Athen fory. Cael plên i Baris, os yn bosib. Os na, yna Llundain, neu Amsterdam, neu rwla o fan'ma. Mater bach fyddai mynd ymlaen i Baris. Ond gora po gynta inni dy gael di a'r ffilm o'ma.'

'A beth am Tom a Dic a Harri?' Ceisiai hi swnio'n ddifater wrth ofyn y cwestiwn, ond wrth ei gwylio'n trochi ei llaw yn fyfyriol yn y dŵr fe wyddai Aled fod llu o bryderon yn mynd trwy'i phen.

'Erbyn fory mi fyddan nhw wedi blino chwilio amdanat ti. Am a wyddan nhw rwyt ti eisoes wedi gadael y wlad . . .'

'A beth amdanat ti? Be wnei di?' Roedd hi wedi tynnu'i llaw wleb o'r dŵr a'i rhoi'n garuaidd ar ei foch.

'O, paid â phoeni dim amdana i. Ar ôl i ti fynd mi a' i'n syth i Lysgenhadaeth Prydain ac egluro fy sefyllfa iddyn nhw yn fan'no. Maen nhw wedi hen arfar efo problema bach fel'na. Mae'n siŵr gen i fod 'na ryw dwrist neu'i gilydd o Brydain yn colli'i basport bob wythnos.'

'Ond does gen ti ddim pres chwaith. Mi fydd yn rhaid iti gymryd pres gen i.'

Chwarddodd Aled yn anghyfforddus. 'Olreit, dwi'n addo—ar un amod—dy fod yn rhoi dy gyfeiriad imi fel y medra i anfon atat ti—i setlo 'nyledion.'

'Fydd dim angen hynny.' Gostyngodd ei llais. 'Ond fe gei di'r cyfeiriad.' Yr eiliad nesaf roedd hi yn ei freichiau, yn wylo'n ddistaw.

Buont felly am rai munudau a'r cwch yn siglo'n ysgafn ar fôr didonnau. Gallai Aled deimlo'i dagrau ar ei foch ond nid oedd yn hawdd ganddo'i chysuro gan fod ei eiriau'n cydio'n styfnig yn ei wddf ac yn ei dagu.

'Mynd bore fory felly?' meddai hi o'r diwedd.

'Ia—dyna fydd orau. Gora po gynta y cawn ni docyn iti ar y plên—unrhyw blên allan o Athen.'

'A beth am y tapiau, Aled? Dwyt ti ddim isio clywed rheini?'

'Ydw. Fe awn ni'n ôl rŵan i wrando arnyn nhw.' Ar hynny cydiodd yn y rhwyfau a throi blaen y cwch tua'r lan. 'Os ydyn nhw hanner mor ddamniol â'r ffilm yna, mi ddylen nhw fod yn ddiddorol iawn.'

Yn ystafell Melina yr oedd y chwaraeydd casét a gwnaethant eu hunain yn gyfforddus i wrando ar y cyntaf o'r ddau dâp. Tipyn o siom i Aled, fodd bynnag, fu sylweddoli na allai ddeall eu cynnwys. Am ryw reswm nid oedd wedi croesi ei feddwl mai yn Ffrangeg y byddai Jules yn rhoi ei adroddiad.

'Be mae o'n ddeud, Melina?' Aethai tri munud go dda heibio erbyn hyn.

'Mae'n ddrwg gen i, Aled. Doeddwn i ddim yn sylweddoli.' Gwelodd hi'n sychu ei llygaid yn frysiog. Roedd clywed llais ei gŵr unwaith eto wedi ailgynnau ei hiraeth. 'Deud mae o sut yr aeth o i mewn i Afghanistan gynta a sut y daeth o i gysylltiad efo'r gwrthryfelwyr ym mynydd-oedd Hindu Kush yn Kaffiristan.'

'Trwy Bakistan yr aeth o felly?'

'Ia.'

Disgwyliodd Aled yn amyneddgar am nifer o funudau eto tra gwrandawai Melina ar lais soniarus, meddal ei gŵr yn adrodd hanes ei helyntion cyffrous. Mewn un lle clywodd leisiau eraill fel petaent mewn sgwrs â Jules neu â'i gilydd, mewn Afghaneg fe dybiai Aled, ac yna rywun arall fel petai'n cyfieithu i Ffrangeg.

'Maen nhw'n deud mor greulon ydi'r Rwsiaid a chymaint maen nhw'n 'u casáu. Mae ganddyn nhw hanesion am rai o'u pobol yn cael eu cam-drin a'u poenydio yng ngharchar a maen nhw'n gweld bai mawr ar eu llywodraeth nhw'u hunain yn caniatáu i filwyr y Sofiet fod yn eu gwlad o gwbwl.'

'Does ganddyn nhw ddim dewis mae'n debyg.' Caeodd Aled ei lygaid i wrando ar lais Jules yn mynd ymlaen ac ymlaen. Rhaid ei fod wedi cymryd cyntun oherwydd pan agorodd hwy drachefn roedd Melina'n troi'r tâp drosodd.

'Fe gysgaist ti.'

'Do. Ydw i wedi colli rhwbath diddorol?'

'Mae'r tapiau yn cyd-fynd efo'r ffilm—yn egluro be sy'n digwydd yn hwnnw. Hanes y cyrch yn erbyn y Rwsiaid yn Kabul ac fel y cafodd pump o'r dynion eu dal. Clywed wedyn am y bwriad i'w dienyddio nhw yn y sgwâr a Jules yn mynd â'i gamera i ben tŵr y mosg uwchben y sgwâr ac yn cael pob cydweithrediad gan y gwrthryfelwyr eraill. Mae'n debyg eu bod nhw'n ystyried Jules yn rhywun pwysig i'w hachos ac yn sylweddoli bod ei ffilm yn mynd i fod yn bropaganda gwych iddyn nhw. Wedyn roedd 'na sgwrs hir ymysg nifer o'r gwrthryfelwyr, efo'r cyfieithydd yn torri ar draws yn aml fel pe bai'n gadael i Jules wybod beth oedd yn mynd ymlaen. A'r peth ola ar yr ochor yna o'r tâp oedd Jules yn sôn am gwarfod rhwng pedwar o'r Afghaniaid a dau Americanwr i geisio cael rhagor o arfau.'

'Americanwyr?'

'Ia. Doedd o ddim yn medru clywed beth oedd yn cael ei ddeud gan ei fod y tu allan i'r stafell ond fe glywodd ddigon i sylweddoli mai Americanwyr oedden nhw.'

'Ia, dwi'n 'u cofio nhw rŵan, yr un pen moel wynab toes a'r un oedd yn edrych yn ddrwg. Doedden nhw ddim yn gwbod fod Jules yn 'u ffilmio nhw . . . A delio mewn arfa oedden nhw felly? Dyna iti uffar o ffordd i neud pres! Mae pobol fel'na cyn waethad â'r Rwsiaid unrhyw ddiwrnod!'

Pwysodd Melina'r botwm ar y peiriant i ddechrau gwrando ar ail ochr y tâp. Cododd Aled ar ei draed.

'Tra wyt ti'n gwrando mi a' i am dro bach ac mi ddo i â diod yn ôl inni o'r bar. Fodca eto?'

Nodiodd Melina ac ar ôl gadael yr ystafell aeth Aled allan i gael golwg ar y beic ac i sicrhau bod digon o betrol ynddo at drannoeth. Yna, bu'n sipian wisgi wrth y bar ac yn sgwrsio'n glapiog efo perchennog y gwesty cyn troi unwaith yn rhagor am ystafell Melina.

Fe'i cafodd hi'n eistedd mewn tawelwch a'r dagrau'n powlio i lawr ei gruddiau a deallodd ei bod hi wedi bod yn gwrando ar eiriau olaf ei gŵr, geiriau yn ei siarsio i fargeinio am y pris uchaf posib am y ffilm a'r tapiau. Yn ei frawddeg olaf un ar yr ail dâp roedd wedi derbyn na châi byth weld ei wraig eto ac wedi anfon ei gariad a'i ddymuniadau gorau iddi am y dyfodol. Ni wyddai Aled beth i'w wneud, pa un ai ei gadael i flasu ei dagrau a'i hiraeth mewn llonyddwch ynteu geisio symud ei meddwl. Penderfynodd ar yr olaf.

'Ddaru mi ddim sylweddoli 'mod i wedi bod o'ma mor hir. Roeddwn i'n meddwl y byddai'r ail dâp wedi para am o leia hannar awr arall.'

'Doedd dim llawer ar yr ail dâp—rhyw ddeng munud ar y mwya.' Tipyn o ymdrech iddi oedd cael y geiriau allan trwy'i dagrau a'i hocheneidiau.

'Wyt ti isio sôn rŵan amdanyn nhw ynte fasa'n well gen ti aros?'

'Na, mi fydda i'n well mewn munud, Aled. Mae'n ddrwg gen i fod yn gymaint o fabi.' Gwnâi ymdrech lew i wenu.

'Rwyt ti'n ddewr iawn, Melina fach . . .' Bu bron iddo ychwanegu *ac mi garwn i ddangos iti'r eiliad 'ma gymaint o feddwl sy gen i ohonot ti* ond sylweddolodd nad dyma'r amser i'w chymryd yn ei freichiau.

'Ar ôl iti adael fe fu Jules yn deud hanes cyrch gan yr Afghaniaid ar wersyll y Fyddin Goch yn Jalalabad. Doedd o ddim wedi medru ffilmio hwnnw ond roedd o'n deud bod nifer ohonyn nhw wedi denig trwy guddio yn y mosg . . .'

'Ac mi ddaeth y Rwsiaid i wybod.'

'Do.'

'A dyna pam y cafodd y plentyn bach hwnnw ei saethu ganddyn nhw. I ddial ar yr offeiriad.'

'Ia. Ar ôl hynny bu'n rhaid i Jules ffoi efo'r gwrthryfelwyr yn ôl i'r mynyddoedd, i'w gwersyll yn yr Hindu Kush.

Wedyn mae o'n sôn amdanyn nhw'n disgwyl yn eiddgar am gyflenwad o arfau newydd.'

'Gan y bôi tew pen moel.'

'Ia. Wyt ti'n cofio'r ffilm yn dangos y lori'n cyrraedd? A Jules wedyn mewn sgwrs efo'r dyn tew?' Nodiodd Aled i ddangos ei fod yn cofio. 'Doedd hwnnw ddim yn gwybod bod y camera arnyn nhw. Roedd Jules wedi dangos i un o'r Afghaniaid sut i weithio'r camera ac wedi'i yrru o wedyn i guddio tu ôl i garreg fawr ar ochor y mynydd heb fod ymhell i ffwrdd ac wedi'i siarsio fo i ffilmio'r sgwrs efo'r dyn pen moel. Wyt ti'n cofio'i weld o a Jules yn siarad?'

'Ydw.'

'Mae'n debyg 'i fod o wedi meddwl bod Jules yn rhywun o bwys ym myddin yr Afghaniaid ac yn ystod y sgwrs mi ddwedodd nifer o bethau dadlennol iawn.'

'O?'

'Do—ac mae'u sgwrs nhw i gyd ar y tâp. Mae'n rhaid bod Jules wedi cuddio'r recordydd o fewn clyw. Wyddost ti o ble mae'r dyn tew yn dod, Aled?'

'O America. Ianc oedd o. Dyna ddeudist ti'n gynharach.'

'Ia—ond o ble'n arbennig yn America?' Roedd yn amlwg i Aled ei bod hi'n aros i ddatgelu gwybodaeth o bwys. Arhosodd yntau'n amyneddgar am y wybodaeth honno.

'O'r CIA.'

Neidiodd Aled ar ei draed. 'Be? Wyt ti'n siŵr?'

'Yn berffaith siŵr. Mae'n cyfaddef hynny ei hun ar y tâp —os cyfaddef hefyd! Canmol yn hytrach. Canmol fel mae'r CIA yn helpu i greu problemau i'r Comiwnyddion ac fel mae America yn anfon gwerth miloedd ar filoedd o ddoleri o arfau i Afghanistan i neud yn siŵr bod y frwydr yn parhau yno. Mae o cystal â chyfaddef mewn un lle bod cadw'r ymladd i fynd yn bwysicach iddyn nhw na gweld heddwch yn y wlad ac mai dyna'n bennaf pam y mae o yno. Ei waith o ydi gneud yn siŵr bod y gwrthryfelwyr yn dal ati i gwffio ac i gadw'r Comiwnyddion yn brysur. Mae o hyd yn oed yn deud pam . . .'

Oedodd Melina am eiliad i Aled fedru treulio'r wybodaeth newydd hon . . . 'Dau reswm, medda fo. Yn gynta, tra mae'r Afghaniaid yn dal i fod yn broblem mae'n rhaid i'r Rwsiaid gadw byddin fawr gostus yn y wlad. Mae America wrth gwrs yn gwybod o'r gorau be mae hynny'n ei olygu, ar ôl llosgi cymaint ar ei bysedd ei hun yn Vietnam. Ac yn ail, mae'r hyn sy'n digwydd yn Afghanistan yn bropaganda gwych yn erbyn Comiwnyddiaeth.'

'A mae o'n deud hyn i gyd ar y tâp?' Roedd llygaid Aled yn loyw.

'Ydi—a mwy. Mae'r CIA yn trefnu i filwyr hur, *mercenaries*, fynd allan o America i ddysgu'r Afghaniaid sut i ddefnyddio'r arfau newydd a hyd yn oed i drefnu cyrchoedd yn erbyn y Rwsiaid.'

'Uffar dân, Melina! Mae ffilm a thapia Jules yn mynd i greu cythral o sgandal rhyngwladol.'

'Ydyn—ac mae Jules hyd yn oed yn rhoi enwau'r ddau inni. Fe wnaeth gyfle, medda fo, i ddod o hyd i'w pasport nhw, i neud yn siŵr. Ernest Blesker ydi'r un tew pen moel a Tod Wadkins ydi'r llall. Fe fydd y CIA yn gneud pob dim fedran nhw i wadu, medda Jules, ond mi fydd y ffaith bod enwau yn ogystal â lluniau'r ddau ar gael, a hefyd eu cyfeiriadau nhw yn America, yn ei gneud hi'n llawer haws i ffeindio cysylltiad rhyngddyn nhw a'r CIA.'

'Oedd 'na rwbath arall ar y tâp?'

'Dim ond y pwt ar yr ail dâp. Sôn yn fan'no am drefniadau cyrch yn erbyn y Rwsiaid drannoeth ond cyn iddyn nhw gychwyn fe ymosododd y gelyn arnyn nhw. Wyt ti'n cofio'r peth olaf ar y ffilm?'

'Ydw. Yr Afghaniaid yn ffoi—a Jules efo nhw?'

'Ia. Fe gafodd llawer ohonyn nhw eu lladd a rhai ohonyn nhw eu dal.'

'Be am y ddau Ianc?'

'Roedd rheini wedi gadael yn gynnar y bore hwnnw. Mae Jules yn deud ar y tâp 'i fod o'n amau mai nhw oedd wedi tynnu sylw'r Rwsiaid at y gwersyll.'

'Pam fasan nhw'n gneud peth felly?'

'Pwy ŵyr pa resymau mae pobol fel'na isio?'

'A be am Jules 'i hun?'

Aeth Melina draw at y ffenest a syllu allan dros y bae. Roedd cryndod yn ei llais wrth iddi ateb.

'Fe ddihangodd yng nghwmni tri o'r Afghaniaid ac un o'r péthau olaf sydd ganddo i'w ddweud ar y tâp ydi 'i fod am roi'r ffilm a'r tapiau yn eu gofal nhw i'w postio i mi o Bakistan.'

'Pam hynny? Pam na fasa fo'i hun yn dianc?'

'Roedd o am ailymuno â gweddill y gwrthryfelwyr, medda fo, nid yn unig i ffilmio rhagor o droseddau'r Fyddin Goch ond hefyd i geisio cael mwy o wybodaeth am ran y CIA yn helyntion Afghanistan. Ac yna'r peth olaf ar y tâp oedd ei siars i mi gysylltu â'r papur newydd ym Mharis. Fe gafodd ei ddal yn syth ar ôl hynny.'

'Sut y gwyddost ti hynny?'

'Y llun blêr ar gefn y parsel. Mae'n rhaid bod y tri oedd yng ngofal y parsel wedi'i weld o'n cael ei ddal . . .'

Wrth ei gwylio yno yn y ffenest a'i chefn tuag ato sylwodd Aled ar ei chorff eiddil yn dechrau ysgwyd yn ddireol. Roedd yr argae wedi torri a doedd dim atal ar y dagrau.

Pennod 11

Y noson honno cynhyrfwyd Bae Corinth gan storm drydanol aruthrol na welsai Aled erioed ei thebyg. Diolchai mai ar ei chyrion yn unig yr oedd Paralia ac fel sawl un arall yn y pentref treuliodd awr a mwy yn ffenest ei lofft yn gwylio'r tafodau mellt yn hollti'r nen ac yn plymio ar eu pennau i'r môr. Wrth eu gwylio'n symud yn araf tua'r de-ddwyrain swynwyd ef gan y dreigio arswydus a diolchodd nad oedd mewn na llong nac awyren y noson honno. Drannoeth clywodd gan Melina fod maes awyr Athen wedi gorfod cau am gyfnod oherwydd y terfysg ac, yn ôl y radio, byddai teithiau'n hwyr yn cychwyn yn ystod y dydd.

'Rydw i wedi ffonio'r maes awyr bore 'ma. Mae un plên i fod i gychwyn am Baris am ugain munud i ddeg ac un arall am ddeng munud wedi tri. Rydw i wedi gofyn iddyn nhw gadw tocyn imi erbyn y pnawn.'

Cymysgedd o siom a rhyddhad fu ymateb Aled i'r wybodaeth honno. Roedd arno ofn gweld Melina'n dieithrio ond ar yr un pryd gwyddai mai gorau po gyntaf iddi adael, er mwyn ei diogelwch ei hun ac er mwyn iddo yntau fedru gwneud ei drefniadau i ddychwelyd adref. Ond wrth i'r beic wibio'i ffordd yn ôl tuag Athen, siom y gwahanu buan oedd amlycaf yn ei feddwl.

'Rwyt ti'n ddistaw iawn, Aled.' Clywodd y gwynt yn chwipio'i geiriau o'i cheg. Teimlodd ei breichiau'n dynn am ei ganol a llifodd ton o ddigalondid anesboniadwy drosto. Oedd, roedd Melina wedi addo cysylltu ag ef o

Baris fel y medrent drefnu i gyfarfod yn Llundain. Roedd wedi rhoi ei gyfeiriad a'i rif ffôn iddi. Fe synhwyrai hefyd ei bod hi'n teimlo rhywbeth mwy na diolchgarwch tuag ato ac y byddai hi wedi mynegi ei chariad eisoes oni bai'r ansicrwydd ynglŷn â thynged ei gŵr. Fe ddylai felly fedru edrych ymlaen at ragor o'i chwmni yn y dyfodol ond, wrth wylio cyrion dinas Athen yn ymddangos yn y pellter, anodd oedd cael gwared ar yr anobaith a wasgai am ei galon.

Wrth i'r drafnidiaeth gynyddu ac i'r beic o reidrwydd arafu daeth yn haws cynnal sgwrs.

'Mi awn ni'n syth i swyddfa'r bysus i nôl y cês.'

Edrychodd Melina ar ei wats. Chwarter i ddeg. 'Iawn. Be wedyn?'

Doedd Aled ddim yn siŵr ond byddai gofyn bod yn y maes awyr mewn digon o bryd i sicrhau ei thocyn.

O fewn ychydig funudau, ac o ddilyn cyfarwyddiadau Melina, roedd Aled yn llywio'r beic o amgylch Sgwâr Omonia ac yn anelu am y sgwâr cyfagos oedd yn gyrchfan i fysiau'r ddinas.

'Fydda i ddim yn hir,' meddai Melina wrth neidio'n ddeniadol oddi ar gefn y beic a ffwlbala yn ei bag llaw am y tocyn i ailhawlio'i chês. Brysiodd i mewn i'r swyddfa a'r tocyn ganddi.

Cafodd gryn sioc o weld Aled yn sefyll rhwng dau blismon a'i wyneb yn ddryswch i gyd. O'u hymarweddiad roedd y plismyn yn fygythiol iawn, yn ceisio gafael yng ngarddyrnau'r Cymro ac yntau'n gwingo'n ddiddeall yn eu herbyn. Brysiodd Melina i'w hwynebu.

Safodd Aled mewn mudandod llwyr i wrando ar y ddadl. Roedd Melina, a'i hwyneb yn daer, yn gwneud ei gorau glas i ymresymu â hwy a thaflai'r tri olygon cyson i gyfeiriad y beic. Yna'n sydyn gwawriodd ar Aled beth oedd achos yr holl helynt. Am ddiwrnod yn unig yr oedd wedi llogi'r beic a rhaid bod y perchennog bellach wedi hysbysu'r heddlu ei fod wedi'i ddwyn.

'Lle cest ti'r beic, Aled? Mi fydd yn rhaid inni fynd yno efo'r ddau yma.'

'Wrth ymyl Sgwâr Monastirâci. Ydan ni mewn trwbwl?'

'Dydw i ddim yn siŵr. Rydw i wedi gorfod deud celwydd wrthyn nhw. Mi ga i egluro iti eto.' Yna trodd yn ôl at y plismyn ac i'w hiaith ei hun a gallai Aled weld y ddau yn ystwytho ac yn gwenu wrth ymateb i apêl ei llygaid deniadol.

Cyn hir daethpwyd i gytundeb a throdd Melina ato gyda winc chwareus. 'Maen nhw am ddod efo ni i siarad efo perchennog y beic. Dwi wedi addo y byddwn ni'n talu mwy na sydd raid am y ddau ddiwrnod ychwanegol. Mae'n dibynnu rŵan be ddwedith hwnnw—ond gad hynny i mi. A rŵan mi fydd raid i mi fynd efo un o'r rhain yn eu car ac fe ddaw y llall efo ti ar y beic. Dos di gynta.'

Yn araf ac yn betrus llywiodd Aled y beic unwaith eto i Sgwâr Omonia ac oddi yno i fyny Stryd Eolou i Sgwâr Monastirâci, taith o ddau neu dri munud. Gwelodd unwaith yn rhagor gyfaredd Melina ar waith wrth i berchennog y beic gytuno nad oedd angen mynd ag ef, Aled, i gyfraith ac nad oedd disgwyl chwaith iddo dalu mwy na'r llog arferol am y ddeuddydd oedd yn ddyledus.

'A dyna hyn'na drosodd! Be rŵan?'

'Cinio cynnar—ac yna cychwyn am y maes awyr.'

Teimlent yn unig iawn yng nghanol prysurdeb Sgwâr Monastirâci. Gyferbyn â hwy safai'r eglwys fechan hynafol ar y palmant llydan, i'r chwith rhedai Stryd Eolou yn unionsyth am chwarter milltir yn ôl i Sgwâr Omonia, ac ar y dde roedd prysurdeb cul Stryd Ermou.

'Mae'n un ar ddeg ar ei ben,' meddai Melina. 'Beth pe baen ni'n mynd i fyny Ermou a chael cinio rywle yn y Placa? Fe allem gael tacsi o fan'no wedyn i'r maes awyr. Bydd rhaid imi fod yno tuag awr a hanner ymlaen llaw i hawlio fy nhocyn.'

'Rhwng hanner awr wedi un a chwarter i ddau felly. Gwell inni symud 'ta.' Cydiodd Aled yn y cês tra cariai Melina'r parsel gwerthfawr dan ei braich. Wedi croesi'r sgwâr rhaid oedd gwau eu ffordd drwy'r llu o siopwyr difrys a lanwai'r stryd gul gyda'u parabl di-baid a'u bargeinio digywilydd.

'Aros yn fan'na am funud, Aled!' A heb air pellach o eglurhad diflannodd i siop fechan ddisylw oedd bron wedi'i llyncu'n gyfan gwbl gan y rhaeadrau o nwyddau a addurnai'r ddwy siop o boptu. Siop yn gwerthu gemwaith, sylwodd Aled, heb lawer o chwilfrydedd a throdd ei sylw ar y bagiau a'r waledi a'r gwregysau lledr oedd wedi'u gosod yn bentyrrau trefnus y tu allan i'r siop-drws-nesaf. Roedd sawl peth ynglŷn ag Athen yn mynd i adael argraff arno: arogleuon y ddinas oedd un ohonynt. Yma, llenwid ei ffroenau gan arogl y lledr melyn glân, ychydig gamau i fyny'r stryd ac efallai mai coffi fyddai'n llenwi'r aer—neu *souvlaki* a'r *kebab* blasus . . . neu hwyrach flodau a ffrwythau ffres.

Ailymddangosodd Melina, yn gwthio'r pecyn bychan yr oedd hi newydd ei brynu i'w bag llaw. Roedd parsel Jules yn dal i fod yn ddiogel dynn yn ei chesail chwith ac wrth ailgychwyn cerdded i fyny Stryd Ermou sicrhaodd ei bod hi eto'n cadw ar yr ochr dde i Aled fel bod y parsel rhyngddynt ac felly'n anos i rywun ei gipio.

Y tu ôl iddynt taflodd dau fachgen llygadog olygon arwyddocaol ar ei gilydd. A barnu oddi wrth dlodi eu gwisg a'u budredd yn gyffredinol, pymthengmlwydd digon digysur o fywyd a gawsent hyd yma. Amlygid hynny ymhellach yn hyfdra a digywilydd-dra eu llygaid tywyll ac yn y diffyg braster ar eu cyrff. Roedd y ddau wedi sylwi ar Melina yn dod allan o siop y gemydd, wedi ei gweld yn gwthio'i phwrs a'r pecyn bychan i'w bag llaw. A oeddynt am fentro? Gwyddent o brofiad fod yn rhaid pwyso a mesur pethau'n ofalus iawn. O'u plaid roedd y ffaith bod y ferch yn cario parsel o dan ei braich arall, felly nid oedd ei llaw chwith yn rhydd i geisio'u rhwystro. Yn bwysicach, roedd y dyn oedd efo hi, yr un yn y trowsus glas a'r crys du, yn llawn ei drafferth efo'r cês trwm-yr-olwg a'r bag ar ei ysgwydd wrth geisio osgoi'r siopwyr eraill. Ond, os am gipio bag y ferch, fe allai'r holl bobl fod yn rhwystr iddynt hwythau ddianc; felly byddai'n rhaid dewis amser a lle yn ofalus iawn.

'Tyrd, Aled, gad inni fynd o ganol yr holl bobol 'ma.'

I fyny am y dde rhedai un o'r strydoedd bach cul nodweddiadol i gyfeiriad y Parthenon ac ardal y Placa. Gadawsant y siopau a'r bwrlwm o'u hôl.

'Diolch byth! Roedd hyn'na'n union fel trio nofio yn erbyn lli'r afon.' Cawsai Aled syrffed ar wthio'i ffordd o amgylch a rhwng pobl ddi-hid gan geisio ar yr un pryd ymgodymu â chês a bag anhylaw.

Yr eiliad nesaf rhoddodd Melina wich o syndod wrth i'w bag gael ei gipio o'i llaw. Wrth lwc, fodd bynnag, roedd hi'n reddfol wedi medru bachu ei braich am y strap a'i daliai dros ei hysgwydd ac yn awr syllai'n anghrediniol ar y bachgen hy oedd yn dal i dynnu yn ei herbyn.

Gollyngodd Aled ei fag a'r cês ar y ffordd a llamu am war y lleidr ifanc. Rhyw hanner gafael a gafodd arno ac roedd hwnnw'n gwingo'n waeth nag unrhyw slywen wedi'i ddal.

'Aros di, 'ngwas i! Falla y gwneith cefn llaw les iti.'

Cyn iddo fedru cyflawni'i fwriad daeth sgrech uwch oddi wrth Melina. 'Aled! Aled! Y parsel! Mae o wedi cymryd y parsel!'

Trodd yn ddigon buan i gael cip o'r ail lanc yn diflannu heibio'r tro i Stryd Ermou a'r parsel gwerthfawr yn ei law. Heb oedi, rhoddodd wth ffyrnig i'r cyntaf nes bod hwnnw'n llyfu'r llawr yn boenus o galed ac yna trodd i ddilyn y llall.

Gallai weld y pen blêr, tywyll yn gwau ei ffordd drwy'r dyrfa a'i frys a'i anghwrteisi yn peri i ambell un droi'n flin i edrych neu i weiddi ar ei ôl. Dilynodd yntau ef orau y gallai, gan ennyn sylw cyffelyb, nes ei weld o'r diwedd yn gadael prysurdeb Ermou am un o'r strydoedd croes.

Er mor chwim oedd y lleidr ifanc, unwaith y cafodd Aled y rhyddid i gyflymu doedd gan y llall fawr o obaith dianc. Gyda phob cam, lleihau wnâi'r bwlch rhyngddynt. Yna, pan nad oedd ond decllath yn eu gwahanu lluchiodd y bachgen y parsel yn ôl dros ei ben ac yn syth am ei erlidiwr. Daliodd Aled ef mor ddeheuig ag unrhyw chwaraewr rygbi'n derbyn pêl ac arafodd ei gam.

'Y dwylo blewog bach!' meddai o dan ei wynt gan wylio'r llanc yn pellhau. 'Diolcha nad oes gen i mo'r amsar na'r awydd i ddwad ar dy ôl.' Ac wrth droi i ddychwelyd y ffordd y daethai llifodd boddhad drwyddo wrth deimlo'r parsel yn ddiogel yn ei ddwylo unwaith yn rhagor ac wrth ddychmygu'r croeso a gâi gan Melina.

Os oedd yn disgwyl iddi daflu ei breichiau amdano fe gafodd ei siomi. Erbyn iddo ddod o hyd iddi roedd hi wedi rhoi trefn ar eu paciau a safai'n warchodol drostynt. Wylo'n ddireol wnaeth hi pan welodd y parsel.

'Paid â chrio, Melina. Mae pob dim yn iawn rŵan. Be ddigwyddodd i'r cythral bach arall 'na?'

'Wedi . . . mynd . . . Wedi . . . rhedeg i . . . i ffwrdd.' Câi drafferth i siarad drwy'r igian oedd yn ysgwyd ei chorff.

'Ta waeth, mae pob dim yn iawn rŵan. Doedd gan y cythral bach 'na ddim clem be oedd o'n ddwyn. *Trio*'i ddwyn yn hytrach!'

'Wyt ti ddim yn meddwl mai . . . mai trio'i ddwyn o i rywun arall oedden nhw?'

'I'r Rwsiaid?' Doedd y syniad hwnnw ddim wedi croesi'i feddwl ef ond roedd yn haeddu ystyriaeth yn awr. 'Na,' atebodd ymhen sbel. 'Go brin! Dydi Tom, Dic na Harri ddim yn rhai i ddibynnu ar rywun arall i neud 'u gwaith nhw—yn enwedig plant! Na, rhyw gywion lladron oedd y ddau yna, yn trio crafu bywoliaeth mae'n debyg. Anghofia amdanyn nhw rŵan! Gad inni fynd i chwilio am fwyd.'

Pennod 12

'Oherwydd i storm drydanol neithiwr gau'r maes awyr am gyfnod, bydd pob taith allan o Athen bore heddiw awr yn hwyr yn cychwyn. Gobeithir y bydd y sefyllfa'n gwella yn ystod y dydd.'

Aeth ochenaid o ddiflastod drwy'r dyrfa wrth i'r neges gael ei chyhoeddi mewn gwahanol ieithoedd ar uchelseinyddion y maes awyr. Suddodd y rhai ffodus yn is i'w seddau cyfforddus yn y lolfa-aros tra chwiliai eraill yn eiddgar am le i roi clun i lawr. Yn ystod misoedd prysur yr haf doedd dim lle ar y gorau i bawb eistedd, ond heddiw roedd pethau seithwaith gwaeth oherwydd effeithiau'r storm. Ymnyddai teithwyr ffwdanus yn ddiamynedd drwy'i gilydd ac yn raddol ond yn sicr cynyddai bwrlwm eu sŵn nes tynnu mwyfwy ar nerfau tynn. Wrth gownteri tocynnau y gwahanol gwmnïau safai rhesi hir o dwristiaid chwyslyd, yn awyddus bellach i hawlio'u ticedi a dychwelyd o ruthr gwyliau i dawelwch undonog cartref. Tynnai plant sgrechlyd ar dennyn o fraich, llusgid bagiau trymion, anhylaw hwnt ac yma a chynyddai nifer y dioddefwyr bob awr.

Eisteddai Ivan, y Rwsiad cloff, yn anniddig ar flaen ei sedd. Ni allai fentro ymddangos mor ddioglyd, ddidaro heddiw. Rhaid oedd bod ar wyliadwriaeth effro iawn rhag i Melina Morisset ddianc drwy'r rhwyd yng nghanol yr holl brysurdeb. Edrychodd ar ei wats. Chwarter wedi un. Diolch i'r drefn. Ymhen tri chwarter awr arall fe ddeuai Andrei i gymryd ei le ac fe gâi yntau ddychwelyd i dawelwch ei ystafell yn y gwesty.

★ ★ ★

'Chwarter wedi un, Melina. Mi fydd rhaid inni gychwyn gyda hyn . . . Gyda llaw, pa gelwydd ddeudist ti wrth y plismyn ynglŷn â'r beic? Mi ddaru nhw lyncu dy stori di, beth bynnag oedd hi.'

Drachtiodd Melina weddill y gwin o'i gwydryn cyn troi ato gyda gwên lydan.

'Mi gefais i alwad ddirybudd i ddweud bod fy nhaid wedi marw yn Thessaloniki ac mi fuost ti'n hynod o garedig i fynd â fi'r holl ffordd yno . . . Mae tua pum can cilometr i Thessaloniki! Wrth gwrs mi fu'n rhaid inni aros am yr angladd—ddoe—a dychwelyd i Athen yn gynnar heddiw er mwyn i mi ddal awyren i Baris. Chefaist ti ddim cyfle o gwbwl i adael i berchennog y beic wybod dy fod yn mynd â fi, felly arna i roedd y bai, os ar rywun.'

Chwarddodd Aled yn uchel. 'Ac mi ddaru nhw lyncu hon'na? Do, mae'n debyg. Mi welis i nhw a'r bôi oedd bia'r beic yn toddi wrth iti sbio arnyn nhw efo'r llygid mawr du 'na! . . . A deud y gwir, pe bait ti wedi gofyn imi fynd â chdi yr holl ffordd i Thesalonica mi faswn inna wedi cytuno mae'n siŵr. Rydw inna hefyd yn toddi wrth iti sbio arna i!'

Wrth wrando arno'n hanner gwamalu, ciliodd ei gwên a phylwyd ei llygaid gan dristwch. Aeth i ffwlbala yn ei bag am hances i atal dagrau, yna gwthiodd becyn bychan ar draws y bwrdd tuag ato.

'Anrheg bach i ti, Aled—am fod mor ffeind—ac i gofio amdana i, gobeithio.'

Medal ar gadwyn arian oedd yn y blwch bychan.

'Dyma brynist ti gynna yn Stryd Ermou? Mynd i nôl anrheg i mi oeddet ti felly?'

'Rhwbath bach iawn am . . . am bob dim wyt ti wedi'i neud. Wnei di'i gwisgo hi am dy wddw, i gofio amdana i?'

'Wrth gwrs.' Craffodd Aled ar y fedal fach gron. 'Be 'di'r llun sy arni?'

'Aphrodite—duwies cariad,' meddai Melina'n dawel. 'Gobeithio y bydd hi'n dy warchod di, Aled . . . yn dy gadw di'n ddiogel nes . . . nes cawn ni gwarfod eto.'

Distaw iawn fu'r daith yn y tacsi o'r Placa i'r maes awyr. Gwasgai Melina ei law yn dynn fel pe bai arni hi ofn colli gafael arno, neu ofn yr unigrwydd o'i adael.

'Mi gawn ni gwarfod eto'n fuan, Melina. Wnei di fy ffonio o Baris i ddeud sut mae petha wedi mynd? Mi ddylwn i fod gartra ym Mangor ymhen tridia gyda lwc. Mae gen i esgus da am gael dy weld eto—i dalu'n ôl y pres dwi wedi cael eu benthyg gen ti . . .' O boced ei grys du tynnodd rowlyn o bapurau a gawsai gan Melina yn y caffi.

'Y fi sy'n ddyledus i ti, Aled, fe wyddost hynny—a dwyt ti ddim isio esgus i'm gweld i eto, fe wyddost ti hynny hefyd. Dwi'n addo dy ffonio o Baris a hwyrach y cawn ni gwarfod yn Llundain ymhen wythnos neu ddwy . . . Gwell inni ffarwelio rŵan, rhag ofn na fydd cyfle yn y maes awyr.'

Fe arhosai angerdd y gusan honno'n hir iawn ar wefus Aled.

Daeth adeiladau'r maes awyr i'r golwg.

'Faint o'r gloch ydi hi, Melina?'

'Chwarter i ddau.'

'Dwed wrth y dreifar am ein gollwng ni rhyw ganllath oddi wrth y brif fynedfa. Wyddon ni ddim os ydi Tom,

Dic a Harri o gwmpas ai peidio . . . Mi a' i i mewn i weld ac os nad oes sôn amdanyn nhw mi ddo i allan i dy nôl di.'

Rhedai balconi mewn hanner cylch uwchben y lolfa-aros a phe dilynid hwnnw i unrhyw un o'i ddau ben gellid mynd allan trwy ffenestri eang i syllu ar yr awyrennau yn cyrraedd neu'n gadael y maes awyr. Yn wyliadwrus, anelodd Aled am y balconi hwn gan adael i'w lygaid gribo'r nyth morgrug stwrllyd oddi tano.

'Anobeithiol!' meddyliodd. 'Fel chwilio am nodwydd mewn tas wair.'

Deirgwaith fe grwydrodd ar hyd hanner cylch y balconi cyn canfod yr hyn a geisiai, neu'n hytrach yr hyn a ofnai. Fe dynnwyd ei sylw at y gŵr talgryf oedd yn gwthio'i ffordd yn ddi-wyro drwy'r dyrfa. Gwelodd ef yn ymuno â'i gyfaill a eisteddai mewn lle canolog yn wynebu'r cownteri tocynnau.

'Tom a Dic!' meddai'n siomedig rhwng ei ddannedd. 'Damia nhw! Sut gythral fedra i gael Melina heibio iddyn nhw? A lle mae Harri tybad? Dydi hwnnw ddim yn bell mae'n siŵr.'

Wrth fynd i lawr y grisiau unwaith eto at y brif fynedfa, yr unig feddwl gan Aled oedd mynd â Melina yn ddigon pell o faes awyr Athen ac o grafangau'r tri dieflig oedd ar ei hôl. Hyd y gwelai, doedd dim byd arall yn bosib. Hyd yn oed pe bai raid iddi aros mis cyfan cyn medru gadael am Baris. Fe fyddai'n rhaid i'r KGB hyd yn oed flino rywbryd.

Ar ei ffordd i lawr o'r balconi tuag at y brif fynedfa, oedodd am eiliad i chwilio'r dorf oddi tano am wyneb cyfarwydd gŵr bach y graith a'r mwstás. Gwnaeth yn siŵr hefyd fod y ddau arall yn dal i sgwrsio yn y lolfa y tu ôl iddo. I bob golwg roedd yn berffaith ddiogel iddo ymuno â Melina unwaith eto—ond i be? Beth fyddai ei gam nesaf? Roedd gan Melina docyn i adael Athen heddiw. Pe collid y cyfle i'w ddefnyddio doedd wybod pryd y byddai'n sâff iddi fentro . . . Fe allai hi fod mewn mwy o berygl trwy aros. Ond efo'r ddau Rwsiad—efallai'r tri—yn cadw golwg barcud ar y maes awyr, pa ddewis arall oedd ganddo ond mynd â Melina oddi yma?

Tra oedd yn sefyll yno mewn cyfyng-gyngor daeth haid o leianod trwy un o ddrysau'r brif fynedfa, deg neu ragor ohonynt, fel cwmwl o frain yn eu habidau duon. Gwyliodd Aled hwy yn gadael eu bagiau'n bentwr mewn cornel hwylus ac yn mynd drwodd i'r lolfa-aros i geisio'u tocynnau neu efallai i nôl diod o'r caffi. Un lleian adawyd ar ôl i fugeilio'r holl fagiau ac wrth ei gweld yn gogr-droi'n freuddwydiol yn ei hunfan dechreuodd syniad beiddgar ffurfio ym meddwl y Cymro ac yn raddol trodd y syniad hwnnw'n gynllun. Er cymaint dychryn iddo oedd meddwl gweithredu'r cynllun, ac er mor annhebygol ydoedd o lwyddo, eto i gyd mwya'n y byd y meddyliai am y peth sicra'n y byd y teimlai mai dyma oedd yr unig obaith. Aeth i sefyll nepell oddi wrth y lleian i aros ei gyfle.

Fe ddaeth ymhen rhyw bum munud. Mam ifanc yn baglu dros draed ei phlentyn gwinglyd ac yn mesur ei hyd ar y llawr, ei hepil dychrynedig yn torri allan i sgrechian crio a'r lleian drugarog yn prysuro i gynnig cymorth tra heidiai niferoedd busneslyd i weld achos yr holl gynnwrf. Heb feddwl ddwywaith cipiodd Aled un o'r bagiau mwyaf o'r pentwr a brysio allan drwy'r drws tua'r lle y gadawsai Melina.

'Lle buost ti, Aled? Roeddwn i'n poeni. Be sy'n bod? Pwy bia'r cês 'na?'

'Does dim amsar i egluro rŵan. Tyrd ar f'ôl i reit sydyn, cyn i rywun ddwad i chwilio am y cês 'ma.'

Nepell oddi wrthynt roedd trwch o lwyni blodeuog ac arweiniodd Aled hi y tu ôl iddynt ac allan o olwg y maes awyr.

'Maen nhw yno'n gwylio,' meddai a doedd dim angen iddo egluro mwy iddi. Yna aeth ati'n ddiymdroi ac yn ddiseremoni i geisio torri i mewn i'r cês. 'Croesa dy fysedd ei bod hi'n cario un arall efo hi.'

'Pwy? Cario be?' Edrychai Melina'n ddryslyd arno.

Yr eiliad honno torrodd y clo tila ac ar ôl taflu'r caead yn agored aeth Aled ati i chwalu cynnwys y cês ar y gwair o'i gwmpas. Gollyngodd ochenaid o ryddhad wrth ganfod yn syth yr hyn y chwiliai amdano.

'Diolch byth! Dyma ti, gwisga hon!' Gwthiodd wisg ddu lleian i'w dwylo. 'Brysia! Does dim amsar i oedi! Dyma dy unig obaith di. Wnân nhw mo dy nabod di yn hon.'

Er bod llu o gwestiynau y carai hi eu gofyn, bodlonodd Melina ar ufuddhau i'w orchymyn. Llithrodd yr abid du dros ei phen a'i hysgwyddau a thros y ffrog felen a helpodd Aled hi i osod y benwisg yn daclus, gan guddio pob blewyn bron o lywethau gloywddu ei gwallt. Yna safodd yn ôl i'w hastudio'n foddhaus.

'Y lleian brydfertha fu erioed,' meddai gyda gwên. 'Ond mi fydd yn rhaid cael gwared ar y minlliw a'r lliw glas sy gen ti o gwmpas dy lygid. Rhaid iti edrych yn hollol blaen—job go amhosib faswn i'n ddeud!'

Aeth ati i lanhau ei hwyneb o bob arwydd o golur ond hyd yn oed wedyn ni allai deimlo'n gwbl fodlon.

'Mae lliw yr haul yn rhy amlwg arnat ti. Dydi lleianod ddim mor frown eu croen fel arfar ond dyna fo, fedrwn ni neud dim mwy ynghylch y peth. Gofala nad wyt ti ddim yn edrych o gwmpas wrth fynd i nôl dy docyn. Mae o leia ddau ohonyn nhw i mewn yn y lolfa yn chwilio amdanat ti.' Edrychodd Aled ar ei wats. 'Mae hi rŵan yn ugain munud i dri ac yn hen bryd iti fynd i hawlio dy docyn. Mi fydda i i fyny ar y balconi yn dy wylio. Mi fydda i'n medru dy weld yn mynd trwodd i'r lolfa-ymadael a phan ddaw'r amsar mi fydda i'n sefyll ar y balconi tu allan i wylio'r plên yn gadael Athen. A rŵan, pob lwc iti, 'nghariad i.' Cusanodd hi'n gyflym. 'Y tro cynta rioed imi gusanu lleian! Rŵan aros di yn fan'ma nes y ca i weld os ydi hi'n sâff iti fentro ai peidio. Gwna di'n siŵr fod dy basport di ar gael yn hwylus.'

Roedd pob nerf yng nghorff Melina yn crynu wrth iddi wylio Aled yn cerdded oddi wrthi i gyfeiriad y maes awyr. O hyn ymlaen mi fyddai ar ei phen ei hun ac roedd gwybod hynny yn ddychryn iddi.

Gollyngodd Aled ochenaid o ryddhad pan sylweddolodd nad oedd neb hyd yma wedi gweld colli'r cês. Lleian arall oedd yno'n cadw golwg erbyn hyn ond roedd hi mor ddigyffro fel y gwyddai'r Cymro nad oedd y lladrad wedi'i ddarganfod. Aeth i sefyll i'r drws ac arwyddo ar Melina i ddod ymlaen. Gwyliodd hi'n ymddangos yn betrus o'r tu ôl i'r llwyni, ei chês yn un llaw a'r parsel trafferthus o dan y fraich arall. Roedd yr ofn wedi gwelwi ei hwyneb a meddyliodd yntau nad oedd hynny'n ddrwg o beth.

'Ceisia guddio cymaint ag y medri di ar y parsal,' sibrydodd wrthi fel yr âi heibio iddo, 'a chofia beidio edrych o gwmpas nes y byddi wedi gadael y brif lolfa a mynd trwy'r *customs*. Unwaith y byddi di yn y lolfa-ymadael mi fyddi'n sâff.'

Gwyrodd ei phen y mymryn lleiaf i gydnabod ei bod wedi ei glywed a theimlodd yntau bang o dosturi wrth ei gweld yn mentro'n ddiymgeledd i ganol sŵn a phrysurdeb y maes awyr lle'r oedd gelyn didostur yn chwilio amdani. Yna, â'i galon yn curo'n wyllt, brysiodd i fyny'r grisiau i'r balconi i'w gwylio o fan'no.

Pedwar oedd yn y rhes o'i blaen wrth gownter Air France. Dyma'r cwmni oedd wedi addo cadw tocyn iddi a phan ddaeth ei thro i'w hawlio edrychodd y ferch yn feirniadol arni a dweud ei bod yn ffodus bod tocyn ar gael o gwbl ac ystyried ei bod mor hwyr yn ei hawlio. Talodd amdano a mwmblan ymddiheuriad wrth wylio ei chês yn cael ei gludo ymaith. Gwenodd y ferch arni, cystal â dweud ei bod yn cael maddeuant llawn am mai lleian oedd ac am y byddai'r plên i Baris ugain munud yn hwyr yn cychwyn beth bynnag.

Erbyn hyn, roedd Aled i fyny ar y balconi yn dilyn pob symudiad. Sylwodd mai un Rwsiad oedd yno bellach, a hwnnw'n eistedd, fel y llall o'i flaen, yn wynebu cownteri'r gwahanol gwmnïau awyrennau. Nid oedd yn dangos dim diddordeb yn y lleian wrth ddesg Air France a gwnaeth hynny Aled yn fwy ymwybodol byth o'r cwlwm ofn yn ei ymysgaroedd. Er gwaetha'r prysurdeb oddi tano, cyn belled ag yr oedd ef yn y cwestiwn doedd ond dau berson yn y lle i gyd. Y naill oedd y lleian fach ddewr oedd bellach yn troi tua'r drysau llydan, uchel fyddai'n ei harwain at ddesg gwŷr y tollau lle disgwylid iddi ddangos ei phasport ac oddi yno i'r *Departure Lounge* ddiogel, a'r llall oedd y gŵr a eisteddai ar flaen ei sedd gyda'i lygaid yn gwibio'n dreiddgar i bob cyfeiriad.

Cerddodd ychydig gamau ar hyd y balconi fel y medrai ei lygaid ddilyn Melina drwy'r drws. Gwelodd hi'n aros ac yn troi i chwilio amdano, yn gwenu o'i ganfod cyn troi eilwaith a diflannu o'i olwg. Llifodd y rhyddhad fel balm trwy'i gorff. Roedd hi'n ddiogel.

Edrychodd i gyfeiriad y Rwsiad oddi tano a neidiodd yr ofn yn ôl i'w lwnc nes dal ar ei wynt. Roedd hwnnw ar ei draed erbyn hyn, yn syllu'n oeraidd i fyny tua'r balconi. Rhaid ei fod wedi sylwi ar y wên ar wyneb y lleian ac wedi dilyn cyfeiriad y wên honno. Roedd dicter a chaledwch yn gymysg yn ei edrychiad wrth iddo ddeall beth oedd wedi digwydd.

'Beth wneith o imi tybad?' meddyliodd Aled. 'Feiddith o neud dim yn fan'ma—ac mae Melina o leia yn sâff.'

Yr eiliad nesaf roedd y Rwsiad—Andrei i'w gyfeillion—wedi troi ar ei sawdl a mynd yn gyflym am y brif fynedfa ac allan o olwg y Cymro. Pan gyrhaeddodd yr awyr agored tynnodd radio-tonfedd-fer o'i boced a thraethu neges iddi.

Wrth ei weld yn gadael daeth ofn newydd i galon Aled. Roedden nhw'n gwybod bellach i ble'r oedd Melina'n mynd, neu o leiaf byddai ganddynt syniad go dda. A allen nhw drefnu i rywun o'r KGB fod ym Mharis yn aros amdani? Pa obaith fyddai ganddi? Ond roedd pob dim wedi mynd o'i ddwylo ef bellach, doedd dim mwy y gallai ei wneud. Â'i galon yn drom aeth allan drwy'r drysau gwydr i ymuno â'r dyrfa fechan oedd yn gwylio'r awyrennau'n mynd a dod. Pwysodd ar ymyl y balconi concrid, ei gorff a'i feddwl yn gwbl ddiymadferth, ac amser yn ddim.

Am ba hyd y bu'n sefyll yno ni wyddai ond daeth ato'i hun wrth glywed gwraig yn ei ymyl yn cyhoeddi 'Air France!' mewn llais go gyffrous. Rhaid bod ganddi hithau rywun annwyl ar gychwyn am Baris meddyliodd wrth iddo wylio awyren Melina yn cymryd ei lle ar y rhedfa. Yn ddiarwybod iddo'i hun roedd ei fysedd yn chwarae â'r gadwyn a'r fedal arian am ei wddf. Cynyddodd sŵn peiriannau'r awyren nes cyrraedd ei anterth, yna'r rhuthr arswydus cyn i'r Boeing 727 adael y ddaear a dringo'n gyflym i'r glas uwchben. Trodd nifer o'r gwylwyr i adael y balconi ond daliodd Aled i syllu'n freuddwydiol ar yr aderyn mawr gwyn yn lleihau yn y pellter ac yn troi allan dros y môr. Tybed a gâi gyfarfod eto â Melina? Teimlai ei bod hi eisoes wedi dieithrio rywsut.

Yr eiliad nesaf roedd yn syllu'n anghrediniol ar fflach fawr o dân a chwmwl o fwg du lle bu'r awyren. Na, meddyliodd, dydi hyn ddim yn wir! Yna daeth y ffrwydrad ysgytwol i lenwi ei glustiau a'i ben a gwelodd raeadr o fflamau yn syrthio tua'r môr. Am eiliad neu ddwy roedd y maes awyr yn syfrdan, yna'n bandemoniwm llwyr, yn un sgrech ac ochenaid hir, anobeithiol. Teimlodd Aled ei gorff yn cael ei ysgwyd gan gryndod direol. Roedd yr awyren wedi mynd! Roedd Melina wedi mynd! Ac eithrio'r bluen ddu o fwg roedd yr awyr yn las a digyffro unwaith eto. Sychodd ei ruddiau llaith yn ffyrnig â chledr ei law a throdd i adael y balconi oedd erbyn hyn yn ferw o bobl ddychrynedig. Gwthiodd ei ffordd yn ddall trwyddynt heb brin godi ei ben.

'Mîstyr Goodman!'

Yng nghanol y gweiddi, y sgrechian a'r crio, er gwaethaf y rhedeg a'r cyffro a sŵn seirennau a chlychau, fe wyddai fod rhywun wedi galw ei enw'n dawel a heb droi i edrych fe wyddai pwy.

'Mîstyr Goodman!' meddai eto.

Safai'r tri ohonynt wrth y drws gwydr yn syllu'n oer a dideimlad arno. Safodd yntau'n ansicr o'u blaen, heb wybod beth oedd yn mynd i ddigwydd nesaf. Oedden nhw'n mynd i'w saethu yn y fan a'r lle? Oedden nhw'n mynd i geisio'i gymryd yn garcharor? Ond i be? Roedd y parsel, fel Melina, wedi mynd—a doedd yntau ddim yn fygythiad iddyn nhw mwyach. Sut bynnag, doedd ganddo ddim o'u hofn: roedd ei galon mor ddideimlad â thalp o rew.

Gwelodd y lleiaf o'r tri yn cymryd hanner cam ymlaen. Dim mwy na rhyw bum troedfedd a hanner, meddyliodd Aled yn ddidaro gan ryfeddu iddo erioed fod ag ofn y stwcyn bach digri hwn. Doedd y llygaid tywyll, oer na'r graith wen uwch y llygad dde yn peri dim dychryn iddo'n awr. Syllodd yn ôl yn herfeiddiol arno gan ddisgwyl iddo ddweud rhywbeth pellach. Ond dal i sefyll yno'n dawel a wnâi'r Rwsiad nes i Aled sylwi ei fod yn chwarae â rhywbeth yn ei ddwylo a phan welodd fod Aled wedi sylwi, daliodd y teclyn allan o'i flaen fel y medrai'r Cymro ei weld yn well ac yna pwyntiodd ef i gyfeiriad y ffrwydrad.

Trwy'r niwl o ddryswch deallodd Aled o'r diwedd beth oedd neges y dyn bach. Ef a'i declyn electronig a achosodd y ffrwydrad! Tri chant neu ragor efallai o deithwyr wedi'u lladd! A Melina'n eu mysg! Ac i be? Er mwyn difa un parsel bach! Roedd y cyfan mor uffernol o ddiystyr . . . A sut oedden nhw wedi llwyddo? Bom mae'n debyg . . . ond ym mhle? Cês Melina oedd yr unig bosibilrwydd! Ac yn yr eiliad honno daeth y cyfan yn eglur i Aled. Cofiodd mai dim ond dau ohonynt oedd wedi ceisio'i rwystro ef a Melina rhag dianc ar y beic. Roedd y trydydd—hwn, y dyn bach—wedi aros wrth orsaf y bysus! A dyma eu ffordd yn awr o'i rybuddio ef. Doedd dim boddhad nac arwydd o ymffrost yn llygaid yr un o'r tri, dim ond rhybudd llym, distaw a'r sicrwydd na allai ef fod yn rhwystr iddynt mwyach. Fe wyddai Aled hynny hefyd. Pe bai'n eu cyhuddo ar goedd, pwy fyddai'n ei goelio? Roedd wedi ei drechu a phob awydd i ymladd yn ôl wedi treio o'i gorff.

Trodd y tri i'w adael a gwyliodd yntau hwy yn mynd ar hyd y balconi uwchben y lolfa-aros. Cyn cychwyn i lawr y grisiau am y brif fynedfa safodd y dyn bach a throi i edrych arno am y tro olaf. Yna aeth i'w boced a thynnu pasport ohoni. Fy mhasport i, meddyliodd Aled. Yn araf ac arwyddocaol, daliodd ef i fyny, yna ei ollwng i fasged sbwriel gerllaw.